LA PORTA VERSO DI TE

MARIA NEGRU
PETRU IONUȚ NEGRU

PARTICELLE DI VITA

LA PORTA
VERSO DI TE

VOLUME 1

La traduzione è realizzata da:
LĂCRĂMIOARA NEDELEA

Celestara
2021

Copyright © 2021 Casa editrice Celestara

Casa editrice Celestara

Via Metalurgiei, nr. 4, Vaslui, România, C.P.730233

Tlf. +4 0775 150 234, e-mail: contact@celestara.com

www.celestara.com

Copertina: Elena Karoumpali

Traduzione dal rumeno: Nedelea Lăcrămioara

Dattilografia: Negru Petru Ionuț

Descrierea CIP a Bibliotecii Naționale a României
NEGRU, MARIA
   Particelle di vita / Maria Negru, Petru Ionuț Negru ; la traduzione è realizzata da: Lăcrămioara Nedelea. - Vaslui : Celestara, 2021-
   5 vol.
   ISBN 978-606-95272-6-9
   Vol. 1. : La porta verso di te. - 2021. - ISBN 978-606-95272-7-6
I. Negru, Petru Ionuț
II. Nedelea, Lăcrămioara (trad.)
821.135.1

I coautori hanno avuto un contributo uguale e significativo all'elaborazione e alla stesura di questo libro.

Il presente volume è soggetto alla normativa vigente in materia di tutela diritti d'autore e dei diritti connessi sull'opera di creazione letteraria intellettuale.

L'uso delle informazioni contenute in questo libro è di esclusiva responsabilità del lettore, che è pienamente responsabile delle proprie scelte e convinzioni derivanti da questo lavoro.

Ordini on line: www.celestara.com

La consapevolezza implica il sentimento intuitivo e la conoscenza intuitiva.

SOMMARIO

La musicalità della Creazione

Capitolo III. Il potere creativo delle parole

Capitolo IV. Il flusso e la dinamica dell'energia

Capitolo V. Il principio della risonanza

Capitolo VI. Oscillazioni dell'energia

*Anche se alcune persone non possono
capire come funziona l'Universo,
esso succede comunque!*

Prefazione

Ogni esperienza può essere vista e compresa da un'infinità di prospettive, tante *brillantezze* quante noi siamo. Per capire meglio *la vita*, è importante essere aperti nel manifestare sempre più conoscenza, nel consentire a noi stessi di sentire al di là di ciò che abbiamo vissuto finora.

Durante la vita, ci viene detto di cercare risposte dentro di noi, ma non si tratta solo di cercare solo lì, ma anche nel profondo di tutto ciò che esiste, visto che siamo tutt'una con l'energia che ci circonda. Ovunque cerchiamo, troveremo delle risposte.

Prova ad immaginare di avere davanti a te un enorme lago in cui lanci simultaneamente alcuni sassolini in direzioni diverse. Ognuno di questi crea onde che si propagano sulla superficie del lago e aumentano gradualmente, man mano che si allontanano dal punto in cui è avvenuto l'impatto. Ad un certo punto, le onde create da tutti questi sassolini si incontrano e gli spazi che inizialmente c'erano tra di loro scompaiono a causa della loro fusione. La stessa cosa accade con le domande che ci poniamo. Metaforicamente parlando, inizialmente ci sono molti vuoti tra le informazioni, ma piano piano essi si riempiano e le informazioni acquisiscono continuità.

È fondamentale porti quante più domande possibili sulla vita, perché esse agiscono in modo simile all'acqua che erode le rocce per farsi spazio. Più domande hai e più ti apri alla conoscenza che ti accompagna da sempre, più le risposte ti vengono spontanee e ti ritrovi nella posizione di intuire una moltitudine di informazioni.

Nel corso della lettura scoprirai alcuni frammenti di verità che ti aiuteranno a comprendere meglio la tua unicità, oltre che a liberarti da molte delle sofferenze che hai accumulato negli anni. Tuttavia, la complessità delle riflessioni e dei sentimenti che sperimentiamo non possono essere completamente riportati su un pezzo di carta, dietro ogni parola trovandosi molto di più.

*La Creazione è infinitamente complessa,
così come lo sei anche tu!*

Capitolo 1
CHI SONO IO?

Ti sei sicuramente posto la domanda *Chi sono io?*, però ridurti come significato a solo poche parole, significa omettere il fatto che la tua essenza è al di là di ogni definizione. Al massimo, potresti esprimere alcune verità sull'energia che sei...

La creazione è infinitamente complessa, così come lo sei anche tu!

Nelle condizioni in cui ritieni di essere già *qualcuno*, è ovvio che aspetti delle risposte in grado di soddisfarti, convalidare le tue percezioni e non disperdere le tue identificazioni che ti riducono come importanza e potenziale.

La realtà fisica è di natura energetica, e man mano che riesci a sorprendere sempre più profondamente la complessità del modo grezzo in cui si esprime, arrivi a comprendere meglio il suo lato ingegnoso.

Ogni essere vivente è un insieme di forme energetiche, da quelle visibili e palpabili, a quelle ingegnose, che si intrecciano e si determinano a vicenda. Trovandosi in una fusione perfetta, è impossibile tracciare linee di demarcazione e dire che da qui fino a qui vi è *la materia*, e da qui a qui vi è *lo spirito*.

Tutto ciò che esiste è *energia*. L'energia può essere trasformata, compressa o estesa, ma non può mai essere distrutta. Possiamo parlare di processi di creazione e disintegrazione, ma tutto ciò fa parte dei *cicli della vita*. Quindi, sei energia, vita e *luce*.

Il cosmo viene proiettato nella forma dell'uomo e di qualsiasi altro essere vivente. Le stelle ed i soli brillano attraverso di te. Non importa la dimensione del soggetto di riferimento, in quanto la proiezione dell'*Insieme* può essere contenuta sia in un elefante che in un seme di papavero, in una particella di polline o in qualsiasi altra forma di vita, sia soltanto microscopica.

Non sei una parte isolata della Creazione. Pensa che l'oceano crea di continuo una moltitudine di onde ed è composto da innumerevoli molecole d'acqua, ma, nonostante ciò, non ritieni che alcuna onda e alcuna molecola d'acqua sia separata da esso.

Ti trovi in un oceano infinito di particelle di vita e benché tendi a credere che siamo separati *gli uni dagli altri*, in realtà siamo l'*Uno* e allo stesso tempo il *Tutto*, e tutti quanti formiamo l'*Insieme*... L'accettazione di questa verità accade man mano che acquisisci conoscenze e metti in atto ciò che *sei* da un punto di vista informativo.

Riportandoci a una scala infinita della densità dell'energia, si può dire che ogni elemento che compone qualsiasi forma di vita:

- ✓ è parte di un circuito senza inizio e senza fine, nel cui ambito crea e *comunica* oltre la forma, il tempo e lo spazio, con gli infiniti elementi esistenti;
- ✓ subisce una serie di trasformazioni a seconda degli elementi con cui interagisce e si fonde;
- ✓ si trova da sempre in una dinamica continua,

così che anche se *ora* fa parte di te, ad un certo punto, farà parte di un'altra forma di espressione dell'energia e così via;

✓ ha il proprio livello di consapevolezza in base al quale percepisce l'esistenza;

✓ genera azioni e intenzioni la cui eco si propaga verso l'infinito e attrae *risposte* che chiamiamo *sincronicità* o *eventi*;

✓ rilascia forme di energia *pensiero - emozione*, in base ai quali attrae altre forme di energia *pensiero - emozione*, che vengono create dagli elementi che formano le altre forme di vita;

✓ ha un modo unico di creare, rispettivamente di distruggere, a seconda delle oscillazioni della brillantezza che esprime e così via.

Tutto si trova in un circuito continuo, ovvero in una dinamica continua. Le energie grezze che compongono il tuo corpo sono l'espressione vivente del flusso continuo e della fusione degli elementi esistenti su questo pianeta.

È nella natura di tutte le forme di energia avere un dinamismo specifico per il loro livello di coscienza e brillantezza in grado di garantire loro una varietà di esperienze. Quindi, gli elementi che ti creano cambiano le loro caratteristiche istante per istante, come un'espressione della vita.

Gli elementi della natura sperimentano attraverso di te nel senso che *ti* penetrano, *ti* compongono, allo stesso tempo si arricchiscono con le informazioni e le esperienze che crei o vivi. Queste si trasformano in una nuova versione di loro, dopodiché lasciano il *tuo* corpo, proseguendo il loro viaggio per sperimentare anche attraverso altre forme o ambienti di vita.

Sebbene ti stia rinnovando costantemente, sia come

corpo che come *spirito*, includi in te stesso l'impronta informativa dei tuoi ascendenti, di tutto ciò che sei stato in questa metamorfosi, così come di tutto ciò sei da sempre come *parte* dell'intera Creazione. Questa staffetta delle informazioni avviene con una fluidità perfetta, che non percepisci nella vita di tutti i giorni, così come non percepisci nemmeno il movimento di rotazione del pianeta attorno al proprio asse oppure l'enorme velocità con cui lo stesso compie il viaggio nel Sistema Solare.

Man mano che comprendi che il tuo corpo è energia, non lo guardi più attraverso gli stessi filtri limitanti. Si può dire che il potenziale di ognuno di noi è infinito, ma siamo noi quelli che stabiliamo i nostri limiti. Il più delle volte, i limiti che attribuisci a diversi argomenti di riferimento sono caratteristici del modo in cui ti è stato insegnato a relazionarti sia con te stesso che nei confronti dell'esistenza.

Dal punto di vista dell'unità, siamo *tutti* parte di uno *Spirito* e di un *Corpo* che racchiude l'intera Creazione. L'*ego* ci serve nella società in cui viviamo nel senso che facilita la nostra espressione, ci dà un'identità e ci differenzia gli *uni* dagli *altri*, ma non rappresenta l'unica realtà.

Il concetto di dualità suppone l'esistenza di due estremità, di due tipi di manifestazioni antitetiche, come: l'odio e l'amore, il bene e il male, l'armonia e il caos ecc. Ma in realtà non puoi dividere la Creazione in due metà e scegliere un punto centrale come punto di riferimento, tanto più visto che questa è infinita.

Gli elementi di ogni coppia di polarità sono complementari e hanno il potenziale di essere espressi in un'infinità di modi e di intensità.

Non c'è luce senza oscurità, così come non c'è oscurità senza luce. Allo stesso tempo, l'oscurità non è assolutamente inferiore alla luce, avendo la propria bellezza. Ad esempio, potresti ancora vedere le stelle sul cielo in assenza dell'oscurità notturna?

La prospettiva della dualità presuppone di relazionarti alla Creazione secondo un'alternativa, che mette in primo piano i termini positivo e negativo, mentre la prospettiva dell'unità presuppone di capire e di sentire ciò che ti sta accadendo da una moltitudine di angolazioni, di accettare che vi è più di quanto pensi per quanto riguarda qualsiasi esperienza che hai avuto o che potresti attrarre e creare.

Inoltre, i termini *superiore* e *inferiore* hanno una forte carica soggettiva. Quindi tutto ciò che consideri inferiore secondo il tuo modo di essere e di guardare la Creazione, tendi ad etichettare e sottoscrivere alla polarità negativa.

Tutto ciò che esiste è così com'è, e il semplice tentativo di descrivere la vita che ci circonda implica la sua minimizzazione attraverso le parole.

Nelle condizioni in cui scegli di diventare una versione migliore di te stesso, si può dire in doppi termini che il verificarsi dell'elemento *inferiore* può servirti da fattore catalitico e può aiutarti ad avere quella consapevolezza che ti spingerà a fare il salto quantistico verso l'espressione dell'elemento *superiore*.

Secondo la prospettiva dell'unità, ogni esperienza viene costantemente trasformata ed ha un potenziale infinito. Di conseguenza, il sentimento che chiamiamo odio può essere considerato una forma rudimentale dell'amore.

Allo stesso tempo, non vi è un odio e un amore standard, da cui formare una coppia antitetica, così come non ci sono nemmeno persone che siano solo amanti o semplicemente piene di odio.

In ogni *istante* generi in modo sincrono un insieme di sentimenti di diversa intensità, questo soprattutto perché sei creato da innumerevoli *particelle di vita* che hanno la loro coscienza e che si trovano in una dinamica continua.

Qualsiasi esperienza può renderti felice o deliziarti da alcuni punti di vista e può rattristarti da altri nei cui confronti esprimi poca conoscenza intuitiva, flessibilità e ricettività.

Forse a volte dai la colpa a te stesso per i momenti in cui sei nervoso o debole, e altre volte ti opponi agli stati che crei e senti ribellione interiore, ma attraverso un tale comportamento non fai altro che alimentare di continuo gli stessi tipi di sentimenti densi. Di conseguenza, la tua sofferenza e le tue debolezze persistono e peggiorano. Per raggiungere uno stato di equilibrio più elevato, è necessario essere consapevole dei fattori che alimentano la tua rabbia e il dolore interiore.

Allorquando non ti opponi più alla vita, riesci a vedere le parti più alte delle situazioni con cui ti sincronizzi.

I rimpianti riguardanti il modo in cui hai agito in passato diminuiscono man mano che comprendi di essere diverso ogni momento che passa. In ogni *adesso* sei completamente nuovo e diverso da qualsiasi altro momento della tua vita.

Non ha senso restare *bloccato* in uno stato di rimpianto per qualcosa che una volta ha fatto un'altra tua versione, soprattutto perché non aiuta in alcun modo te, l'essere attuale, a superare la propria condizione.

Ti stai rinnovando costantemente ancor prima di nascere, quando esistevi sotto forma di un insieme di sentimenti multidimensionali all'interno dei tuoi antenati. D'altronde, ti rinnovi ad ogni battito di ciglia, respiro, sorriso, lacrima...

Ostinarsi a voler essere solo in un modo mantiene dentro di te uno stato di tensione e di lotta interiore che ti ferisce e limita la tua evoluzione.

È molto più prezioso concentrarsi sul modo brillante in cui si desidera essere piuttosto che rivolgere la propria attenzione verso le esperienze precedenti che hai affrontato in maniera superficiale. Tuttavia, non puoi cambiare più nulla di quello che è già accaduto.

Per crescere in armonia ed acquisire la maestria nel dare un significato più bello alla tua vita, capita che a volte ti sincronizzi con diversi eventi caotici e inquietanti, che ti portano fuori dalla tua zona di comfort. Infatti, il caos e l'equilibrio si esprimono in modo univoco, sincrono e in percentuali diverse nella vita di ognuno di noi.

Nella misura in cui concentri la tua attenzione ed energia sul modo in cui non vorresti essere oppure sulle paure e le incapacità che pensi di avere nell'attirare esperienze gratificanti, sprofondi in una sorta di stati che portano alla tua decadenza. Persino il semplice fatto di non voler progredire fa sì che gli elementi che ti compongono si fermino ad un certo livello o addirittura regrediscano.

In ogni *adesso* sei l'espressione delle oscillazioni delle infinite forme esistenti di energia e questo comporta di non esprimere sempre la stessa conoscenza, comprensione e compassione. Allor quando le oscillazioni dell'energia che sei prendono una direzione prevalentemente discendente, ovvio che anche le scelte che fai e l'atteggiamento con cui ti relazioni alla vita riflettono il declino. Tutto ciò è un fatto naturale e la sua accettazione porta alla *guarigione* ed all'elevazione di quelle parti di te che stanno ancora soffrendo.

Spetta a te scegliere se decadere oppure *fiorire*.

Guardando la vita dal buco della serratura, soffri...

Avendo una visione duale, ti succedono sia dei momenti di gioia intensa, sia dei momenti di sofferenza travolgente e le oscillazioni dell'energia che sei sono molto grandi. Anche quello che sembra essere un'oscillazione caotica ha il proprio flusso ed armonia secondo la sua *normalità*.

I contrasti sono forti quando si sceglie di vedere la vita solo in toni di bianco e nero e perdi di vista il fatto che vi è un'infinità di altri colori e sfumature di grigio.

Colui che guida la sua vita in modo duplice oscilla improvvisamente dallo stato di gioia e di appagamento a quello di sofferenza e viceversa, tende ad assolutizzare, portare spesso tutto all'estremo, etichettare ed emettere vari giudizi di valore attestanti che qualcosa è strettamente negativo oppure strettamente positivo.

Comprendendo che vi è un flusso continuo da un certo livello della manifestazione di un'esperienza a un altro, non ti subordini più così tanto al concetto di dualità.

Per rendere più facile l'espressione e sottolineare una serie di aspetti, all'interno del libro continueremo ad esporre dualmente alcune informazioni, ma tu resti nel sentimento e sii oltre tutto ciò! Puoi essere sorpreso da varie prospettive che sembrano antitetiche, ma che, in realtà, fanno parte del quadro dell'unità e si completano a vicenda.

APPREZZAMENTO DELL'UNICITÀ

Attraverso l'approfondimento degli eventi che ti accadono, riesci ad allargare i tuoi orizzonti e a diventare più brillante.

Più velocemente impari dalle esperienze che classifichi come spiacevoli, più spesso e intensamente vibri sulle frequenze dei sentimenti più alti, non avendo più bisogno di affrontare eventi simili. Se invece ti opponi alle *lezioni* che hanno lo scopo di portare a galla ciò che è già tutt'uno con te, allora il grado di difficoltà delle situazioni che dovrai affrontare aumenterà e la sofferenza provata sarà misurata alla tua rigidità.

Le lezioni sono infinite e multidimensionali, come lo è anche l'esistenza, così che non si può raggiungere ad una loro finalità, ovvero in un punto in cui puoi dire di non avere niente da imparare. Non si può dire che, attraversando una certa esperienza, tu abbia approfondito la *lezione del coraggio* in maniera assoluta o che la situazione in cui ti sei ritrovato ti abbia aiutato a perfezionare solo una certa qualità. Cosi come un singolo punto comprende un'infinità di punti, anche il punto chiamato *fiducia* comprende un'infinità di livelli.

L'insieme di emozioni che provi, indipendentemente dal contesto in cui ti trovi, non può essere suddiviso, le emozioni essendo perfettamente interconnesse. Qualsiasi tuo esperimento coinvolge, in percentuali e modi differenti, tutti i tuoi sentimenti. Di conseguenza, con il salto quantistico che il tuo essere compie verso un nuovo livello di conoscenza, aumenta ogni tua singola esperienza.

D'altronde, tutte le forme di vita attraverso le quali si esprime l'energia dell'intera Creazione avvengono secondo il proprio ritmo. Non tutti i boccioli della stessa rosa fioriscono così rapidamente, così come i semi dello stesso soffione non germogliano nello stesso luogo e nello stesso momento.

Quando ti paragoni ad una persona che ritieni essere più debole di te, da un lato le trametti onde energetiche che possono determinarla a subordinarsi a determinate limitazioni e, dall'altra parte, stabilisci un punto di riferimento che è *inferiore* a te, nei cui confronti non è necessario fare troppi sforzi per superarlo.

Nel caso in cui prendi come punto di riferimento una persona che ritieni sia *superiore* a te da certi punti di vista, ometti il fatto che anche tu, a tua volta, sei *superiore* a quella persona da altri punti di vista.

Abituarsi a sottovalutarti e ad affermare spesso di sentirti inferiore a qualcuno in particolare, programmi te stesso in modo tale da non essere al di sopra della persona che hai preso come punto di riferimento, e così la tua evoluzione ne *soffrirà*. Perché stabilire dei limiti che potrebbero ostacolarti dal flusso che potresti avere nel caso in cui seguissi il tuo intuito?

Perché sottovalutarti e voler copiare gli altri, visto che ognuno è unico e ha i propri talenti e qualità che può affinare, così da diventare un maestro in ciò che sceglie di fare e di essere?

Supponiamo che qualcuno sia migliore di te quando si tratta di suonare il pianoforte, ma tu sei brillante quando si tratta di dipingere. Se continuassi ad affinare i tuoi talenti e le tue capacità, potresti andare molto più lontano a quella persona a cui ti sei paragonato.

Non c'è niente di sbagliato nell'avere alcune qualità più pronunciate rispetto ad altre. Da un lato, non importa quanto tu sia brillante in un certo campo, c'è sempre spazio per il miglioramento e, dall'altro, sei composto da una diversità di forme di energia che hanno il loro ritmo evolutivo. Credere che le particelle di vita che ti compongono siano identiche significa ignorare l'unicità di ciascuna di esse.

L'atto del confronto non è uno che può essere classificato in modo assoluto come *buono* o *cattivo*, ma dal punto di vista di coloro che si relazionano ad esso in modo duale, può essere percepito come avente due dimensioni, una *positiva* e una *negativa*.

Il confronto fatto in una maniera saggia può essere visto come un mezzo attraverso il quale trovi nuovi livelli di crescita. Non vi è alcun motivo di rifiutare il confronto visto che, attraverso di esso, puoi osservare nelle altre qualità che fino ad allora hai trascurato o che pensavi nemmeno potessero esistere.

Ci sono situazioni in cui il confronto non può essere benefico, secondo la direzione discendente verso la quale si dirige colui chi lo usa, nell'idea che possa suscitare: delusione, ansia, sofferenza, disperazione, sottovalutazione, disprezzo, arroganza, orgoglio, gelosia, odio, e così via.

Alcune persone si concentrano principalmente sul confronto con gli altri oppure confrontare gli altri tra loro, senza mostrare desiderio ad imparare da coloro che criticano o sui quali si divertono. Nel loro caso il confronto è distruttivo da entrambe le parti, nel senso che non fanno nulla di concreto per crescere, ma non lasciano nemmeno che gli altri crescano seguendo il proprio ritmo. I pensieri e le emozioni che trasmettono hanno una densità notevole e questo può rallentare il ritmo dell'evoluzione delle persone a cui si relazionano. Essendo concentrati principalmente nel giudicare ciò che fanno coloro che li circondano, distolgono lo sguardo dal modo in cui creano la loro vita, arrivando così al punto di non sapere dove si dirigono e di essere sempre più insoddisfatti della mediocrità in cui in effetti si lasciano trasportare.

È meraviglioso essere un buon osservatore di chi ti circonda, per capire a quali parti di te bisogna prestare maggiore attenzione per migliorarle. Ad esempio, potresti scoprire che alcune persone sono più amorevoli di te e così inizi domande su cosa potresti fare per arrivare anche tu a quel livello o addirittura andare oltre.

Quando guardi chi ti circonda in maniera distaccata, con amore e compassione, senza provare invidia, senza sottovalutarti, e senza ritenerti in competizione con loro, non senti più il bisogno di fare apprezzamenti da cui risulti che sei superiore o inferiore a loro. Semplicemente prendi le cose per scontato, impari quello che riesci dagli *insegnanti* accanto a te e condividi con gli altri dalla conoscenza che manifesti.

Nessuna forma di vita ha un comportamento perfettamente lineare, ma oscilla più o meno a seconda di quanto riesce ad essere centrata in termini di sentimenti, scelte oppure azioni che crea. Se ti relazioni a te stesso, *quello di ieri*, puoi persino limitarti, in quanto c'è la possibilità di confrontarti con una tua versione più debole, e questo non ti spinge certo a crescere.

Paragonandoti alla persona di ieri, è come se volessi guidare la macchina sulla direzione giusta in avanti, ma continui a guardare indietro. Come puoi vedere cosa hai di fronte se continui ancora a guardare nella direzione opposta?

Un approccio più efficace sarebbe che la maggior parte delle tue scelte e azioni avvengano con l'intenzione di superare te stesso, quella persona di ogni istante.

LA RELATIVITÀ DELLE SCELTE

Alcune persone scelgono di credere a ciò che vedono, mentre altre scelgono di vedere ciò in cui credono. Ma ci sono anche persone che ampliano i loro orizzonti della conoscenza e della comprensione, scegliendo di vedere e sperimentare al di là di ciò che è stato insegnato loro a credere.

Quando credi solo ciò che vedi...

Di coloro che scelgono di credere principalmente a ciò che vedono, possiamo dire che aspettano di ricevere spiegazioni, dimostrazioni e prove per tutto ciò che considerano che va oltre il lato materiale e palpabile. Spesso, benché ricevano spiegazioni pertinenti, chiare, concise e di facile comprensione, rimangono scettici e si interrogano su ciò che viene loro esposto. Seguendo il principio che solo ciò che vivono fisicamente può essere reale, negano l'esistenza delle forme di sperimentazione sottile dell'energia e non capiscono come mai altri esseri possano manifestare esperienze molto più complesse. Ad esempio, ci sono persone che non riescono a intuire quando qualcuno pensa intensamente a loro, di conseguenza, attraverso il prisma delle proprie esperienze, scelgono di non credere a coloro che percepiscono i pensieri degli altri.

Lo scetticismo di alcuni non si limita soltanto a ciò che riguarda la conoscenza, ma si estende anche alle relazioni che hanno. Hanno le loro percezioni di come le persone a loro vicine dovrebbero esprimere i loro sentimenti nei loro confronti. Nel caso in cui succede che le loro aspettative non siano soddisfatte, concludono che non sono amati o che non viene loro concessa abbastanza attenzione, il che da altre prospettive può essere falso, considerando che ognuno ha un modo unico di esprimere i sentimenti.

Anche se qualcuno non dice *Ti voglio bene!* non significa che non provi amore per te. Inoltre, il fatto che tu abbia sentito qualcuno dire *Ti voglio!* non significa necessariamente che provi davvero amore per te tanto quanto afferma. Guidando la tua vita solo in base a ciò che ti viene detto, vivi le tue esperienze attraverso una gamma ridotta di sensi. Se riuscissi a percepire più chiaramente le energie sottili di coloro che ti circondano, al di là delle parole che ti rivolgono, allora sapresti con maggiore certezza se sono sinceri o meno con te.

Ogni persona pronuncia durante la sua vita migliaia di volte diverse dichiarazioni d'amore o parole considerate belle, ma quante volte è onesto e *pienamente* coinvolto in quei momenti, senza pensare ad altri argomenti o situazioni?

Colui che pretende di sentire innumerevoli volte parole d'amore e di apprezzamento al fine di convalidare la propria importanza e la grandezza del suo rapporto con il partner, inganna sé stesso, perché l'amore è infinitamente al di là di qualsiasi cosa le parole possano esprimere.

Non serve dire a qualcuno: *Ti voglio bene!* dalla mattina alla sera, solo perché sai che è quello che vuole sentire da te, se la tua dichiarazione finisce per essere priva di senso e non ti senti all'altezza delle parole che usi.

Invano si dice a qualcuno quello che vuole sentire se si sente avvolto dall'insicurezza e non si ama abbastanza da vedere e accettare sé stesso esattamente così com'è. Puoi benissimo guardare una persona e sentire come l'amore nel suo sguardo, il sorriso e il suo tocco penetra totalmente il tuo essere.

Basandoti solo su ciò che senti e vedi, perdi una moltitudine di sottigliezze, visto che certi atti o affermazioni possono essere fatti falsamente, solo per il gusto di essere fatti, o per interesse.

I sentimenti possono essere difficilmente dimostrati in modo tale da adattarsi alla logica, alle convinzioni o agli automatismi, essendo necessari che questi vengano sentiti al di là delle parole e delle apparenze. Spesso le apparenze sono fuorvianti, in realtà ciò che vedi potrebbe essere completamente diverso dalle conclusioni che trai.

Puoi scegliere di credere solo a ciò che vedi, ma questo significa essere rigidi e sbagliare innumerevoli volte, poiché questo criterio non è l'unico in base al quale relazionarti con l'esistenza.

Affrettandosi di trarre conclusioni in base ai pregiudizi che hai, potresti trovarti nella situazione di fare scelte inappropriate, rifiutare persone che potrebbero aggiungere valore alla tua vita o avvicinarti a persone che potrebbero distruggere ciò che hai costruito con grandi sforzi.

Supponiamo che tu veda sull'autobus un uomo depresso, accigliato e apatico e che lo reputi un uomo poco interessante, mentre il più delle volte quell'uomo è pieno di energia e di allegria, anche se quel giorno soffre e piange dentro di sé.

È naturale percepire in modo sempre più consapevole le esperienze che vivi attraverso tutti i sensi e non concentrare la tua attenzione soltanto su alcuni di essi.

Un altro esempio è quello in cui consoci qualcuno e invece di ascoltare la tua intuizione dall'inizio, che ti dice che non è degno di fiducia, ti lasci trasportare dalle apparenze, da ciò che vedi, dalla maschera che la persona sceglie di indossare nei tuoi confronti. La prima volta che hai letto sottilmente l'energia e il volto della persona in questione, sei stato al di là di molte delle tue percezioni e aspettative e hai sentito come è veramente quella persona. Poi, a seconda degli interessi che sperava di poter soddisfare attraverso di te, ha resettato le sue frequenze e ha scelto di interpretare il ruolo attraverso il quale comunicarti che è affidabile e di avere un carattere piacevole. In altre parole, eri propenso a credere a ciò che ti veniva mostrato per pochi minuti e omettere ciò che avevi intuito fin dai primi secondi. Naturalmente, prima o poi, arrivi alla conclusione iniziale, ma è preferibile non passare attraverso esperienze spiacevoli visto che puoi evitarle.

Quando vedi solo ciò che credi...

Le persone appartenenti alla categoria di coloro che scelgono di vedere principalmente ciò in cui credono si creano diverse condizioni. Hanno la percezione che ciò in cui credono appartenga interamente a loro, ma gran parte delle convinzioni che hanno sono prese da coloro che hanno incontrato nel corso della loro vita, con cui si sono identificati e con il cui livello di consapevolezza hanno interagito.

Inoltre, un'altra parte delle credenze appartiene anche a loro, essendo costruite sui modelli che hanno scelto di delineare, con una notevole dose di soggettivismo. Questo fa sì che spesso mentano a sé stessi, immaginano scenari fittizi e opporsi ad accedere alle diverse verità esistenti. Fino a quando non vivono ancorati alla realtà e non capiscono gli aspetti che così semplici e tangibili, come possono capirne di più?

Ogni società ha le proprie serie di credenze e la propria definizione per ciò che significa essere razionali. Se riflettessi su questa verità, capiresti che fino a quando ti conformerai a criteri che non ti aiutano ad essere in armonia con la tua essenza divina, è come se scegliessi un'intera vita per abbandonarti a una realtà che esprime troppo poche verità.

Il sistema educativo è delineato in modo unico da ogni singolo paese. Succede che alcuni dei sistemi tendono a standardizzare i bambini secondo alcuni modelli più obsoleti, che non sono esattamente vantaggiosi per loro. Pertanto, i bambini vengono gradualmente sminuiti nella brillantezza e nella genialità con cui vengono in questo mondo, perché sono obbligati in modo apparentemente civile e ben intenzionata a soddisfare i requisiti considerati particolarmente importanti.

Come avere un bambino pronto per la vita se a volte lo condizioni ad essere mediocre e altre volte l'applicabilità delle informazioni che apprende è ridotta?

Sarebbe ideale che qualsiasi sistema educativo incoraggi la creatività, i talenti e le abilità che ogni bambino possiede. È essenziale in qualsiasi società promuovere la formazione di *menti* fresche che:

- ✓ siano in continua espansione;
- ✓ riflettano sulle prove che affrontano e sulle verità esistenziali;
- ✓ prestino attenzione ai dettagli e alle sottigliezze;
- ✓ siano inventive ed originali;
- ✓ si esprimano liberamente, senza timore dell'opinione degli altri;
- ✓ apprezzino e seguano il loro intuito;
- ✓ diano il via alla creazione dal sentimento;
- ✓ scoprano la loro vocazione e possano eccellere nel campo con cui interagiscono meglio e così via.

Essendo assorbito da ciò che ti viene detto di fare e imparando a memoria, i tuoi orizzonti si restringono e ti rimane sempre meno tempo libero per te stesso. Quindi, non riesci più a passare attraverso il filtro del vivere in modo puro le informazioni e le esperienze che sei determinato ad assumere o farti domande su quanto siano vere. Capita spesso di non ricevere risposte alle domande che poni ai tuoi *insegnanti*, così che, ad un certo punto, finisci per sentirti sempre più scoraggiato e indeciso nella scelta delle fonti affidabili per accedere alla conoscenza.

Continuando a credere a ciò che gli altri ti hanno detto, che a loro volta hanno preso gran parte delle informazioni da altri, come puoi essere sicuro che tutte le tue convinzioni esprimano verità degne di essere prese in considerazione? Come fai a sapere che quelle cosiddette verità non sono, in effetti, invenzioni?

Scegliendo di vedere ciò che eri determinato a credere, puoi finire nella posizione di costruire falsamente una moltitudine di esperienze. Ad esempio, se le strategie di marketing di alcune persone ti fanno credere che per essere bello devi conformarti alla direzione che loro consigliano, finisci per sembrare brutto, sentirti insoddisfatto e incompiuto con te stesso e seguire i loro suggerimenti.

La vita è come un flusso, la maturità essendo un'espressione dell'infanzia e la vecchiaia essendo un'espressione di tutto ciò che hai creato e attratto durante il tuo percorso.

La maggior parte delle sofferenze che l'adulto vive ha le sue radici nell'infanzia, quando ha preso o formato i suoi punti di riferimento in base ai quali costruisce la sua vita.

Nelle condizioni in cui ti viene ripetutamente detto che sei intelligente, finisci per credere a queste parole così fortemente che, ogni giorno che passa, ti vedi sempre più intelligente e materializzi più profondamente questo attributo.

Sentendo per tutta la vita che sei un semplice uomo impotente, peccatore, che non sa tante cose, finisci per credere a questa prospettiva e sentirti, formarti e percepirti in questo modo.

Quindi, tanti scelgono di percepire la loro mente come limitate dal semplice fatto che gli è stato insegnato a vederla in quel modo, a costruire continuamente una moltitudine di barriere, a tagliarne una parte e a modellarla in modo disarmonico a costo della loro felicità, solo per soddisfare gli standard della società in cui vivono. Di conseguenza, non riescono a contenere abbastanza della conoscenza infinita, così come nessun bicchiere può contenere l'intero volume d'acqua di una piscina.

Coloro che sentono e comprendono che ci sono infinite prospettive oltre ciò che hanno mai visto e sperimentato in questo loro percorso di vita e focalizzano la loro attenzione ed energia per diventare più consapevoli della beatitudine di questo *adesso* eterno, si arricchiscono nella conoscenza e manifestano sempre più dal loro potenziale creatore.

Anche se alcune persone non possono capire come funziona l'Universo, ciò accade comunque!

LA SINCRONICITÀ DEGLI EVENTI

Coloro che cercano una risposta alla domanda: *Qual è il mio scopo in questo percorso di vita?* mettono l'accento sull'*io* in modo limitante ed egoista, ma comunque omettono la verità secondo cui la Creazione è al di là di qualsiasi scopo.

Nonché tu sia stato abituato ad assegnare uno scopo ad ogni azione che intraprendi, l'esistenza non ha nulla a che fare con lo scopo, ma con la pura manifestazione di ciascuno di noi, cioè di ciascuna *particella di vita* che ci compone.

Non vi sono incidenti o coincidenze, ma ci sono sincronicità che vengono attratte e create a seconda di ciò che scegli di esprimere.

Ciascuna persona che incontri e ogni esperienza che vivi rappresentano un'eco, una risposta alle onde di energia che emetti verso l'infinito.

La natura non fissa obiettivi attorno ai quali orbitare, ma l'uomo ha la percezione che tutto debba esistere per una ragione specifica e attribuisce alla natura scopi di cui crede, in molti casi, siano destinati a servire sé stesso.

L'ape non vive per impollinare i fiori o per fare il miele. L'atto di impollinazione e la creazione del miele avviene semplicemente nei momenti in cui le api si nutrono e svolgono le loro attività.

Gli esseri vegetali non vivono per produrre l'ossigeno necessario alla sopravvivenza delle forme di vita appartenenti al regno animale, così come queste ultime non vivono per produrre l'anidride carbonica necessaria alla vita dei primi.

Tutti vibriamo in questo *continuum* senza limiti, ci attiriamo e ci rifiutiamo a vicenda a seconda di come interagiamo, ci diamo gli uni gli altri e ci offriamo esperienze sempre più vaste e complesse. Resta a ciascuno di noi, la scelta di come relazionarsi a ciò che gli accade.

Sostenere che esisti con lo scopo di fare qualcosa di preciso implica minimizzare te stesso come potenziale e ridurti alla dimensione del tuo obiettivo. C'è una grande differenza tra sostenere che esisti per uno scopo e stabilire le esperienze che vuoi materializzare in base alle tue scelte. Gli obiettivi che vuoi raggiungere possono portare sia alla tua crescita che al tuo declino e di coloro che ti circondano, a seconda della direzione che scegli di conferire loro.

Secondo una prospettiva più profonda, invece di vivere la tua vita secondo obiettivi, è meglio che tu intenda vivere quelle esperienze che ti aiuteranno a crescere infinitamente oltre tutto ciò in cui credi. Con meno identificazioni e tensioni, il tuo potere creativo e materializzante viene intensificato. Un tale approccio allarga i tuoi orizzonti e ti aiuta ad abbracciare il tuo potenziale.

Tenendo conto che l'essenza di ogni forma di vita va oltre lo scopo, chiunque ti dica che ti rivela o ti aiuta a scoprire quale sia lo scopo per cui esisti non fa altro che portarti ulteriormente nella deriva.

Di solito, gli obiettivi che l'individuo costruisce implicano uno scopo, ma questo non è caratteristico della tua essenza e nemmeno dell'energia in generale. Gli stessi modi in cui si presume che gli obiettivi possano essere raggiunti generano spesso una moltitudine di tensioni, rimpianti, frustrazioni e complessi, poiché si parte dal presupposto secondo cui questi devono essere necessariamente raggiunti.

Visto che l'esistenza è senza inizio e senza fine, di quale finalità potrebbe trattarsi nel caso di qualsiasi scopo? Non importa quanto bene crei qualcosa, ci sarà sempre un *Si può anche meglio!*.

Qualunque cosa tu voglia realizzare ha un numero infinito di livelli al di sotto dei quali può presentarsi, e tutto ciò che ti accade scorre sempre l'uno dall'altro, anche se ti sei abituato a guardare separatamente e dimenticare o trascurare i momenti che non hai vissuti in modo veramente consapevole e che hai classificato come irrilevanti.

Coloro che capiscono questo aspetto si reinventano e si riorientano dal punto di vista professionale, in modo che sentono che quello che stanno facendo è in linea con i modi in cui possono portare un valore aggiunto a chi gli sta intorno. Inoltre, essendo flessibili e preoccupati per il significato che danno alla propria vita, ogni volta che si rendono conto di non essere più in armonia con ciò che hanno scelto una volta, si evolvono nelle direzioni che ritengono sarebbe utile percorrere. Che senso ha ostinarsi di fare la stessa cosa per tutta la vita? Ti mantiene nella tua zona di comfort, è vero, ma ti priva di molte altre opportunità.

Trasformare qualsiasi esperienza in un unico obiettivo suppone l'auto condizionamento e l'omissione del fatto che la vastità delle esperienze che *la vita* ti offre è infinita e che hai la possibilità di migliorare su una moltitudine di livelli.

Da alcuni punti di vista, potresti dire che gli obiettivi ti aiutano a crescere, e il loro raggiungimento ti dà una certa soddisfazione, ma ti tengono nella situazione in cui, metaforicamente parlando, vedi l'esistenza attraverso il buco della serratura. Ad esempio, ci sono persone che vogliono eccellere in una sola direzione, di conseguenza, dedicano l'intera vita alla formazione e al miglioramento in quel campo. Non vedono altro che corsi, diplomi, specializzazioni ecc. e studiano continuamente, facendo di quella professione lo scopo della loro vita. Naturalmente, l'obiettivo che si prefiggono è eccellere in quello che fanno, ma vengono privati di una moltitudine di altre gioie ed esperienze che possono essere molto più appaganti, a differenza di ciò che scelgono di fare nella vita di ogni giorno. Verso la fine del percorso di vita, quando tracciano la linea e mettono in bilancia la maggior parte dei momenti della loro vita, scoprono di essere sempre stati alla ricerca del successo e il loro ego non è mai stato completamente soddisfatto.

La vita non si misura solo nel numero dei risultati professionali, ma anche nell'intensità della brillantezza che sei riuscito a manifestare e regalare alla Creazione. È la ricchezza interiore che ti rende veramente brillante.

Non è sbagliato eccellere in qualcosa, ma è innaturale che la tua vita ruoti solo attorno a un numero ridotto di attività. Desiderando essere migliore solo in pochi aspetti, trascuri lo sviluppo degli altri. Perché non focalizzare la tua energia e attenzione sulla tua ascensione su più livelli?

Non dobbiamo trarre la conclusione che gli obiettivi non sono vantaggiosi in alcun modo, perché hanno anche una dimensione positiva. Abbiamo l'opportunità di dare un significato più alto alla nostra vita anche fissando obiettivi diversi che sono un riflesso della nostra coscienza interiore ed esteriore, della gioia e della bellezza, così come tutto ciò che ci rende realizzati.

È meraviglioso desiderare, sognare e immaginare quello che vuoi ottenere, perché tutto questo fa parte del processo di creazione, ma è molto importante il modo in cui ti relazioni con loro. Ad esempio, con il desiderio di comfort e di adozione di uno stile di vita senza peso, le persone continuano a inventare e fare innumerevoli scoperte che possono andare oltre il progetto originale.

Una volta che pensi di aver raggiunto un certo obiettivo in una percentuale maggioritaria, non devi fare altro che impostarne un altro, dato che per raggiungere anche solo un obiettivo, sei costretto a realizzarne di più. Nelle condizioni in cui ti abitui che la tua vita svolga il suo corso a seconda dei tuoi obiettivi, potrebbe sembrarti innaturale che la tua essenza sia al di là di essi.

La dimensione energetica di ogni obiettivo è un'espressione della dimensione della coscienza di chi lo ha delineato, ma ci sono anche situazioni in cui l'individuo sceglie obiettivi che non sono in armonia con lui solo perché altri glieli hanno inoculati, quindi non può realizzarli. In una situazione del genere, l'individuo attribuisce il suo fallimento a fattori e forze esterne, crea illusoriamente e amplifica le sue idee secondo cui vi è la sfortuna, la difficoltà e l'impossibile.

Come materializzare qualcosa sulle cui frequenze vibri abbastanza debole o di cui non sei sicuro?

Puoi avere nel mondo esterno solo ciò che hai già creato dentro di te, perché l'esterno e l'interno sono un insieme.

Molti si ostinano a concretizzare obiettivi con i quali non sono esattamente compatibili, e per questo vengono privati di una moltitudine di realizzazioni. Ad esempio, forse:

✓ alcuni degli obiettivi che si erano prefissati in

passato non si adattano più a loro al momento in quanto, all'epoca, avevano una coscienza completamente diversa;

✓ non sono all'altezza degli obiettivi che sognano;
✓ non sono preparati per il contesto in cui si concretizzeranno gli obiettivi prescelti, né per gli eventi che avverranno con essi;
✓ hanno scelto obiettivi che, invece di metterli a vantaggio, li fanno perdere *tempo*;
✓ si soffermano attorno agli stessi obiettivi, si perdono nei dettagli e non prestano sufficiente attenzione a ciò che è importante per loro;
✓ non si conoscono abbastanza bene da sentire che tipo di esperienze sono benefiche per loro;
✓ oscillano all'improvviso e in modo caotico, così da fissare degli obiettivi nei momenti in cui sono molto delusi e sofferenti, o molto eccitati;
✓ a causa della mancanza di fiducia, ciò che si sono prefissati come obiettivi è molto inferiore al loro potenziale, sebbene abbiano la capacità di creare qualcosa di molto più appagante;
✓ sono facilmente manipolabili e desiderosi di compiacere gli altri, in modo che si identificano con gli obiettivi che vengono impressi o imposti loro da coloro che li circondano e così via.

Molti degli obiettivi sono delineati sulla base di alcuni schemi limitativi o desideri che vengono confusi con i bisogni, mentre le intenzioni scelte dal puro vivere portano la realizzazione di ciò di cui hai veramente bisogno, secondo le vibrazioni che crei ed emetti istante per istante.

Consentendo a te stesso di identificarti con le tue esperienze, ti relazioni ai desideri in un modo in cui non attribuisci più tanta importanza alle preoccupazioni secondo cui non avresti modo di materializzare.

La principale differenza tra scopo e intenzione è che nel caso dell'intenzione ti senti distaccato dai risultati che hai creato e attratto, in quanto capisci che la felicità e la realizzazione sono al di là del condizionamento. Le tue esperienze sono l'espressione di tutto ciò che senti, non il fattore principale che determina i tuoi sentimenti interiori.

Se non sei soddisfatto di ciò che attiri nella tua vita, non sono i tuoi risultati il problema, ma il modo in cui vibri, perché il tuo livello di consapevolezza è quello che ti fa sentire per lo più insoddisfatto o felice, e a seconda di tutto ciò si verificano anche le opportunità. Generalmente parlando, come creare qualcosa di fiorente, prospero e soddisfacente, se non ti senti affatto così?

L'impostazione di un obiettivo avviene sullo sfondo di uno stato di tensione e comporta il calcolo dei passaggi che ti portano al risultato immaginato. Invece, l'impostazione di un'intenzione creativa avviene sullo sfondo di uno stato di rilassamento e comporta seguire l'intuizione e attirare spontaneamente alcune scelte, sincronicità e azioni che ti portano a livelli che si trovano ben oltre ciò che avresti potuto delineare attraverso la logica.

Se con l'impostazione degli obiettivi ti conformi a determinati standard o modelli della società, con l'impostazione e il raggiungimento delle intenzioni, sviluppi la tua intuizione e il potere di materializzare. Così attiri secondo la tua unicità, come riflesso di ciò che rappresenta il tuo essere.

Sin da bambino, ti è stato insegnato che l'insieme delle azioni e delle scelte che fai devono servire determinati scopi. Ad esempio, ti iscrivi all'università con lo scopo di esercitarti in un campo; vai a lavorare tutti i giorni con lo scopo di guadagnare soldi; guadagni soldi con lo scopo di garantirti tutto ciò di cui hai bisogno; formi una coppia con lo scopo di mettere su famiglia;

raccogli fortune con lo scopo di passarle ai discendenti e così via.

Molte persone, mentre si avvicinano alla fine della loro vita, si rivolgono alla religione, augurandosi che i loro errori vengano perdonati e di essere più graditi alla divinità. Altre persone invece vogliono vedere i loro discendenti prosperare e raggiungere la soddisfazione, lasciare qualcosa di bello dietro di loro e creare ricordi meravigliosi con i loro cari.

Guardando attentamente gli obiettivi che le persone si prefiggono, puoi notare uno schema comune, ovvero che la maggior parte costruisce la propria vita attorno a ciò che chiamano *materiale*, a cui si avvicinano comunque in modo limitato. Ad esempio, alcuni di coloro che accumulano ricchezza per trasmetterla ai propri discendenti omettono il fatto che il denaro non contribuisce solo alla crescita e allo sviluppo dei bambini. In generale, anche la stabilità emotiva che coltivi dentro di te e che riesci ad imprimere su coloro che ti circondano con la semplice presenza è molto importante.

Alcune persone prefiggono come scopo di concentrarsi sul *loro spirito* una volta raggiunta l'età anziana, a rivolgere la loro attenzione a coloro che sono considerati divini e a trascorrere più tempo con coloro che amano. Hanno un approccio che denota ignoranza, perché trascurano il fatto che la vecchiaia è l'espressione dell'insieme formato dalla totalità delle esperienze che hanno avuto lungo la loro vita. Poiché, invecchiando, hanno accumulato molte sofferenze e fallimenti, sono diventati più rigidi e densi, e quindi la loro qualità di vita è diminuita. In considerazione del fatto che erano contenti di vivere secondo condizionamenti, è ovvio che si sono abituati a creare le esperienze in maniera limitata e non si sono concesse la possibilità di crescere liberamente.

Tuttavia, il desiderio di trascorrere più tempo con i

propri cari e di godere della loro presenza è del tutto naturale, senza fare molti calcoli al riguardo e senza farne uno scopo. Altrimenti, è come se per tutta la vita reprimi i tuoi sentimenti interiori, non sei sufficientemente amorevole e aperto nei confronti dei tuoi cari e scegli di mettere al primo posto altre esperienze o interessi materiali.

Alcuni di coloro che si considerano *spirituali* immaginano che lo scopo della loro vita possa essere rappresentato da: l'incontro della metà divina, l'ascensione nella 5ª dimensione, il distacco da tutto ciò che appartiene alla dimensione negativa, il superamento totale di tutti i traumi emotivi, il raggiungimento del livello supremo di illuminazione, l'espressione di certi doni spirituali, eccetera. In realtà, tutti questi scopi sono costruiti su idee che tendono a omettere una moltitudine di altre verità. Questi stabiliscono diversi livelli di riferimento da raggiungere, ma i quali il più delle volte, sono sia chimerici sia inferiori ai livelli che avrebbero potuto esprimere in maniera naturale.

Ritenere che lo scopo della tua esistenza sia ascendere su tutti i piani non riflette pienamente la realtà. È proprio nell'essenza dell'energia oscillare, aumentare e diminuire la brillantezza in diversi aspetti della tua vita.

Alcune persone prendono come scopo della loro vita di dimostrare il valore personale. Gran parte di coloro che si concentrano su questioni materiali e cercano di dimostrare il proprio valore personale attraverso azioni e risultati, infatti, non si sentono apprezzati e amati abbastanza per quello che sono. Solo perché gli altri non vedono il tuo vero valore non significa che devi trasformarti in una versione che soddisfi le loro aspettative e che sia compatibile con loro per essere convalidata. Tuttavia, affinché chi ti circonda possa riconoscere il tuo valore, è necessario che le persone che ti circondano siano in grado di capirlo e comprenderlo, oltre i limiti dell'ego. Ad esempio, i geni non sono apprezzati da persone superficiali, ignoranti, invidiose o dispettose che mostrano nei propri confronti un falso senso di superiorità.

L'impostazione di uno secondo il quale vuoi materializzare ciò che vedi che gli altri hanno, significa confrontarti e non tenere conto della tua unicità, a seconda di ciò che hai parte, di ciò che si trova in armonia con te.

Inoltre, ci sono persone che pensano di essere così speciali da sentire che le loro vite devono per forza avere uno scopo che nessun altro essere ha. La mentalità che hanno, spinge loro a dare un'ampiezza maggiore nello scoprire la ragione per la quale hanno la percezione di essere nati, di conseguenza tendono ad opporsi alla verità secondo cui ogni essere vivente è unico e speciale.

IL POTERE DI CREARE

Tenendo conto che gli elementi di ciascuna coppia di polarità sono complementari, si può affermare che i processi di creazione comportano anche la distruzione in percentuali diverse. Praticamente tutto ciò che esiste funziona secondo i cicli di creazione e distruzione, questi non essendo separati, ma in una continua fusione e flusso dall'uno all'altro. Vediamo questa realtà ovunque, compresa anche nella modalità in cui funziona il nostro organismo.

Ognuno di noi può scegliere da che parte inclinare la bilancia, se è prevalentemente creativo o, al contrario, prevalentemente distruttivo.

Per potersi nutrire e creare, l'organismo distrugge altre forme di energia. Non intendere il verbo *distruggere* a modo proprio, nel senso di un'azione che fa sì che una certa cosa non esisti più' ma di un'azione che porta alla disgregazione e alla divisione del soggetto di riferimento in una moltitudine di particelle che vengono successivamente sottoposte ad alcuni processi di calibrazione e trasformazione che porteranno alla formazione di nuove forme di vita.

Anche quando mangi un seme, *distruggi* quel seme, perché nel momento in cui avrebbe germogliato, avrebbe dato alla luce un nuovo essere vegetale che, a sua volta, avrebbe creato altre forme di vita. Pertanto, l'energia del seme continua ad essere espressa e sperimentata attraverso di te per un certo periodo di tempo, diventando parte del tuo corpo. Allo stesso tempo, i nutrienti che questo seme contiene, contribuiscono a sostenere e creare altri elementi che ti compongono.

Indipendentemente da quello che tu scegli come fonte di cibo fisico, produci una distruzione. Tutto è energia. L'energia è vita, quindi non si può dire che una forma di vita sia superiore a un'altra.

È essenziale che ogni azione che intraprendi, indipendentemente da ciò che essa comporta, sia presa consapevolmente, venga assunta e accettata come parte della tua realtà e mostrare gratitudine e amore per *la vita* con cui diventi tutt'uno attraverso l'azione di mangiare, in modo tale che tu possa vivere in armonia e pace con te stesso.

Inoltre, è del tutto naturale che le tue azioni decorino da uno stato di compassione e comprensione, in modo da non consumare più del necessario e non interferire nel processo di creazione degli altri esseri in modo egoista e avido. Ad esempio, supponiamo che tu faccia una passeggiata in una foresta e all'improvviso hai l'idea di raccogliere una quantità notevole di ghiande, ma senza una ragione ben definita. In questa situazione, ometti il fatto che non hai davvero bisogno delle ghiande, perché comunque, ad un certo punto è molto probabile che le butti. Di conseguenza, quelle ghiande vengono sprecate perché avrebbero creato nuovi alberi o servito come cibo per gli animali della foresta. Proprio come il tuo essere si rallegra quando delizia il suo corpo con il cibo di cui ha bisogno, così si rallegrano persino gli altri esseri.

Le azioni distruttive che intraprendi nei confronti degli altri e nei confronti dell'ambiente, vengono proiettate anche dentro di te. In altre parole, ti distruggi nella stessa misura in cui contribuisci alla distruzione di altri esseri.

L'universo funziona secondo la legge dell'equilibrio e della legge causa ed effetto. Coloro che subiscono un torto, a causa del modo distruttivo in cui ti sei relazionato con loro, attraggono al momento giusto le esperienze che bilanciano il loro equilibrio di vita. Prendiamo l'esempio di un uomo che è stato derubato da una notevole quantità di denaro, questa ingiustizia ha infranto inoltre alcuni dei sogni che voleva realizzare. A un livello sottile, la sua energia tende a ristabilire l'equilibrio e ad attrarre una serie di sincronicità attraverso le quali prosperare di nuovo, ma per questo ha bisogno di essere flessibile e sentirsi degno di essere e di avere di più. Per l'inizio, può attrarre, in particolare, eventi e risultati che partecipino ad elevare i suoi sentimenti. Quindi, se seguisse gli eventi del momento, potrebbe pensare che non sarebbe in grado di recuperare quei soldi, ma, in effetti, è la sua stessa evoluzione che lo aiuterà a far fiorire le idee necessarie alla prosperità.

A volte, solo il semplice fatto di credere di dover ricevere esattamente quanto hai perso e solo dalla persona che ti ha fatto del male, può essere una forma di limitazione, in quanto vi è la possibilità di ricevere più di quanto hai perso e addirittura sotto varie altre forme.

Restando arrabbiato o furioso per un evento recente, è molto probabile che farai delle scelte e intraprenderai azioni che hanno una connotazione distruttiva. Da uno stato vibratorio basso è difficile creare qualcosa di meraviglioso o incanalare la tua energia per essere prevalentemente creativi. In sostanza, nella misura in cui ti concedi di risplendere, riesci a materializzare ciò che ti sei prefissato di fare e ad esprimere abbondanza.

Per quanto spiacevole possa sembrare, l'atto di distruzione fa parte della vita di ognuno di noi. Allo stesso tempo, l'esperienza della nostra esistenza culmina con la distruzione del nostro corpo, nel senso della scissione e della restituzione alla natura gli elementi componenti.

Creiamo noi stessi attraverso il modo in cui i nostri genitori si danno l'un l'altro, nasciamo, diamo la vita in percentuali e modi diversi, ci viene data la vita momento per momento, e poi ci disintegriamo per poterci donare completamente alla vita infinita forme che, a loro volta, creano e danno alla luce vita. Stiamo parlando, quindi, di un circuito continuo della vita, che accade sempre, e questo circuito non può aver luogo senza la fase della disintegrazione.

A livello del tuo corpo, vengono costantemente create nuove cellule le cui funzioni e proprietà possono evolversi, nella misura in cui focalizzi la tua attenzione, le tue scelte e le tue azioni per crescere su più livelli possibili. Il tuo organismo comprende linee cellulari che sono responsabili del mantenimento dell'equilibrio e che aiutano a distruggere i microrganismi dannosi e tutte le cellule degradate.

Se ti comporti in modo caotico nella vita di tutti i giorni, non ti importa degli esseri che ti circondano, fai uso ignorantemente di ciò di cui pensi di aver bisogno e che è lì solo per te, prendi decisioni sbagliate ed egoistiche sulla vita degli altri, credendo che tutto è giusto per te, quindi le tue cellule si comportano in modo simile. Pertanto, le tue cellule si usano a vicenda in modo caotico e impediscono reciprocamente le proprietà, funzioni e l'evoluzione l'una dell'altra senza permettere a sé stesse di raggiungere un livello di fioritura più elevato. Invece, se contribuisci in modo costruttivo alla creazione del corpo di altri esseri e li aiuti disinteressatamente a godersi la vita e l'esistenza, aiuti te stesso e ti diverti allo stesso tempo. È utile prestare attenzione al contributo che hai all'evoluzione di chi ti circonda.

Il messaggio delle tue parole ha il potere di accendere o spegnere qualcosa nell'essere della persona a cui ti stai rivolgendo. Puoi piantare con le tue parole semi che, al momento giusto, fioriranno e porteranno frutti significativi o lanciare frecce i cui effetti distruttivi si vedranno gradualmente.

Quando vuoi creare qualcosa di eccezionale, è essenziale circondarti di persone con cui sei compatibile e il cui potere creativo è simile al tuo.

Sentendoti ardito, è ovvio che ciò che fai porta la tua impronta. Finché hai qualcosa di prezioso da offrire, le persone con grandi aspirazioni si sentiranno attratte da te perché, a livello sottile, esalti la loro luce interiore con la tua semplice presenza. Invece, sottovalutando il tuo potere creativo e sentendoti debole e incapace, attiri una moltitudine di persone con le quali non puoi creare qualcosa di spettacolare.

Contribuisci alla crescita o al declino di coloro con cui ti relazioni persino attraverso i pensieri, le emozioni, i desideri o le intenzioni che hai in relazione a loro. Anche il modo in cui guardi o tocchi una persona può essere più o meno creativo.

Nella misura in cui esprimi più del tuo potere creativo, il tuo corpo riflette più salute. La tua salute non dipende strettamente da te, ma anche dall'ambiente in cui ti trovi e dalle persone che ti circondano.

Essere pieni di vitalità, sani e felici è un dovere morale per tutti quelli che ti circondano, compresi le persone che ami.

Se ti ammali gravemente a causa delle sofferenze che hai scelto di acquisire, chi dovrebbe prendersi cura di te? I tuoi familiari e i tuoi amici? In qualche modo, attraverso il tuo modo egoistico di essere, ometti il fatto che li appesantisci e quindi contribuisci in vari modi alla loro distruzione. Forse vogliono trascorrere il loro tempo in un modo bello, andare nelle direzioni che li conducono alla loro perfezione, essere rilassati e spensierati, ma in una situazione del genere devono stare dietro di te, prendersi cura di te, completare le attività che non puoi fare da solo. Col passare del tempo, rinunciano a molte delle loro gioie, diventano stressati, tesi, i loro corpi arrivano a conoscere il degrado e così via.

Perché compromettere la felicità degli altri se sei il principale responsabile del modo in cui vivi la tua vita e raccogli, metaforicamente parlando, ciò che hai seminato?

Si capisce da sé che chi è molto malato fa del male persino agli altri con la sua semplice presenza, ma anche attraverso: il disturbo che trasmette dagli sguardi e dai pensieri; la dinamica dei processi vitali che imprimono uno stato di malattia; i suoni creati da ogni organo colpito che trasmette caos, dolore e sofferenza ecc. Tutte queste onde di energia emesse da una persona malata non si fermano a chi si trova nelle sue immediate vicinanze, ma si disperdono verso l'infinito.

Di conseguenza, quando sei malato, ammali più o meno visibilmente compreso coloro che ti circondano. Immagina come la tua salute possa essere concretizzata sia da una pioggia leggera che nutre e accarezza tutti gli esseri con cui viene a contatto, sia da una grandinata che causa molta distruzione dopo il suo passaggio.

Una persona cosciente sceglie per amore, compassione e comprensione di essere sana, non solo per sé stessa o per i suoi cari, ma soprattutto per le altre forme di vita esistenti, perché capisce di essere tutt'uno con loro, ancor più visto che il micro è proiettato in macro e viceversa.

Naturalmente, stesso l'atto di distruzione ha la sua importanza e bellezza *nascosta*. Molte volte, può succedere che dopo la distruzione di qualcosa, venga creato qualcosa di più bello e appagante. Ad esempio:

- ✓ la rigenerazione e la guarigione di strappi microscopici a livello delle fibre muscolari, che si verificano a seguito di uno sforzo fisico più intenso, fa sì che le fibre muscolari diventino molto più forti;
- ✓ la fine di alcune relazioni tossiche può ridarti la chiarezza necessaria per costruire alcune relazioni che sostengono la prosperità da entrambe le parti;
- ✓ la demolizione di case vecchie o inabitabili consente la costruzione di alcuni edifici resistenti e dall'aspetto piacevole;
- ✓ la rovina di tutti gli sforzi e dei sacrifici che hai fatto lungo gli anni per diventare *qualcuno* in un campo può portarti su un nuovo percorso in cui andare molto più in là di quanto avresti pensato e così via.

Con il dissiparsi di alcuni attaccamenti, sogni, aspettative o convinzioni, il vecchio lascia il posto al nuovo e questo processo avviene ovunque e sempre. Sebbene alcune esperienze possano distruggerti in qualche modo, ti rafforzano e ti fanno crescere sotto altri aspetti.

A volte qualcosa deve finire perché qualcosa di migliore inizi, e i diversi *finali* che crei durante la tua vita, come la fine di una carriera o di una relazione, sono diversi da quelli di qualsiasi altra persona. Al di là della prospettiva della dualità, tutti scorrono dall'uno all'altro e scorrono in modo così bello che non sai nemmeno dove iniziano e dove finiscono.

Un esempio in cui la distruzione ha il suo scopo e significato è quello in cui hai nel giardino un albero di prugna, che è così malato e secco che è più tormentato dalle esperienze che ha e continua ad attirarle. Distruggerlo e tagliarlo è la cosa migliore che puoi fare. Così, poni fine alla sua sofferenza, consenti agli elementi che lo compongono di sperimentare altre forme di vita piene di vitalità e fai spazio alla piantagione di un giovane albero, che ha potenzialità in piena ascesa.

Un altro esempio potrebbe essere quello in cui vedi un gruppo di alberi cresciuti molto vicini l'uno all'altro. Se non si interviene, si affollano, si soffocano e si limitano a vicenda, non si sviluppano troppo e la loro qualità di vita lascia molto a desiderare. D'altra parte, riducendo il loro numero, i restanti godono di abbastanza luce e spazio in cui svilupparsi armoniosamente, crescere e godersi la vita.

Ovvio che nel caso di entrambi gli esempi sopra menzionati, la verità è che non è sempre necessario intervenire nelle esperienze di altri esseri, ma a seconda delle particolarità di ogni singolo caso, è naturale intuire come procedere al meglio.

La natura ha anch'essa la sua intelligenza. In zone molto aride, come conseguenza della loro evoluzione, alcune specie appartenenti al regno vegetale hanno la capacità di produrre oli volatili che pongono fine all'esperienza dell'esistenza nel momento in cui le condizioni ambientali diventano ostili e insopportabili. Pensa che quelle specie arrostiscono sotto l'azione della luce solare ardente, il loro ambiente di vita non è per nulla amichevole. Quindi, anche se sentirebbero il bisogno di godere un po', più di fresco, ombra e umidità, quelle specie non hanno parte di tutto questo. Ad un certo punto, non essendo più compatibili con l'ambiente di vita, è ovvio che si disintegreranno e il loro unico modo con cui avviene questo processo è attraverso l'autoaccensione. Le foreste che hanno bruciato si rigenerano e regalano ai semi, gli elementi che un tempo facevano parte di essi, apportando loro una fertilità in più per agevolare la loro germinazione. È come se tali foreste rinascessero dalle loro stesse ceneri, simile all'uccello Fenice.

IL SENTIMENTO DELL'UNITÀ

Se qualcuno ti chiedesse come ti definiresti alla fine, cosa risponderesti? Potresti dire che sei soltanto il corpo preso come intero e che perdi te *stesso* nel momento in cui ti scorre una goccia di sangue o perdi alcuni capelli?

L'*Io* ha la convinzione che il corpo appartenga a sé stesso senza consapevolizzare in profondità che, da un lato, questa è una delle infinite forme di creazione attraverso cui si esprime l'energia dell'Insieme, e, dall'altro, i corpi di tutti gli esseri viventi sono, metaforicamente parlando, l'espressione di un *corpo cosmico* senza limiti, visto che tutto ciò che esiste si intreccia.

Come sentirsi isolati ed estranei nei confronti di chi ti sta accanto visto che i corpi di entrambi siano costituiti in proporzioni diverse dagli elementi di tutti gli ambienti di vita che compongono da sempre un circuito continuo a cui partecipa ogni organismo esistente?

Ognuno attira in modo univoco gli elementi di cui necessita, calibrandoli in base alle informazioni contenute nel proprio DNA e nella matrice informativa delle regioni geografiche in cui transita. Tutte queste informazioni determinano le esigenze di ogni persona, le peculiarità legate all'aspetto fisico (colore della pelle, forma del viso, altezza ecc.), il modo in cui decodifica dal punto di vista sensoriale ciò che lo circonda, e così via, ma non lo spingono ad isolarsi dalle altre forme di vita.

Immagina di trovarti in una foresta mentre la pioggia cade dolcemente... Dal punto di vista dell'individualità, tendi a singolarizzare ogni forma di *vita*, sia essa un albero o una goccia di pioggia, ma dal punto di vista dell'unità, vedi che tutto questo è interconnesso, costituendo un *insieme* infinito. Entrambe le prospettive sono vere allo stesso tempo, cosicché omettendo una di esse, la tua visione dell'esistenza è incompleta.

È importante essere consapevoli che tutto ciò che proietti su te stesso proietti persino su coloro che ti circondano, così come il fatto che tutto ciò che proietti su chi ti circonda influenza anche te.

Sentendoti diviso e separato dall'energia dell'*Insieme*, percepisci tutte le altre forme di vita come estranee a te.

Nella misura in cui credi di essere isolato da quello che si trova intorno al tuo corpo, ti relazioni ad altre forme di vita come se fossero anch'esse isolate da ciò che le circonda, influenzandole così con onde di energia le cui frequenze possono accentuare la sensazione di solitudine. Ad esempio, le persone dicono spesso e in maniera superficiale *Guarda un albero! Guarda un animale!* ma non riescono a sentire l'energia degli esseri che guardano, ben oltre le parole pronunciate.

Considerando che un abete è distinto da tutto ciò che lo circonda, gli mandi onde di energia le cui frequenze possono accentuare la sua sensazione di isolamento, visto che è un essere vivente che crea una moltitudine di sensazioni adeguate alla coscienza che possiede. Se guardassi l'albero da una prospettiva dell'unità, contribuiresti ancora più intensamente ad innalzare il suo livello di consapevolezza e aiutarlo a sentirsi tutt'uno con la foresta a cui appartiene, con le gocce di pioggia che rinfrescano la natura, con gli elementi del suolo e non solo.

Le percezioni che tendono a singolarizzare e individualizzare l'energia più densa che chiamiamo *materia* sono attribuite alle altre forme sottili di espressione dell'energia e, implicitamente, *dello spirito*. Man mano che superi le percezioni create in termini di autoidentificazione, non puoi più parlare di *corpi* e *spiriti* in modo individuale, ma della stessa *energia* che si manifesta in modo univoco attraverso tutto e tutte.

Sentirsi tutt'uno con tutto ciò che esiste significa sentirsi tutt'uno non solo con tutto ciò che ti circonda, ma persino con ogni particella di vita e con ogni elemento che ti compongono.

Sei *tu* l'energia creativa che dà vita al corpo fisico e lo crei istante per istante. Processi come la divisione e la respirazione cellulare non accadono senza *di te*.

Sei *tu l'Energia* di ogni atomo che costruisce il tuo corpo. Sei pura essenza, ti trasforma e ti esprimi in un'infinità di modi, piani, dimensioni e forme di vita.

*Sei come uno strumento musicale a cui
tutte le altre forme di vita cantano
delicatamente al di là del tocco.*

Capitolo 2

L'ENERGIA DA OVUNQUE

Tutto ciò che esiste è energia, e l'energia è composta da innumerevoli *particelle di vita* che sono perfettamente interconnesse e in una comunicazione continua e co-creazione. Ognuna di esse ha la propria brillantezza, densità, configurazione geometrica e musicalità ed esprime una certa coscienza che genera nuovi sentimenti. Inoltre, le particelle di vita si trovano in modo sincrone in un'infinità di *tempi e spazi* a seconda delle dinamiche che hanno e delle dimensioni energetiche sulle cui frequenze vibrano.

La creazione comprende un'infinità di dimensioni energetiche, dalla meno luminosa (che chiamiamo oscura) alla più brillante, ognuna di queste è composta da una moltitudine di particelle di vita che esprimono in varie percentuali i codici di creazione e le informazioni esistenti.

Ogni forma di vita attraverso la quale si esprime l'energia dell'*Insieme* rappresenta l'espressione della perfetta fusione di più dimensioni energetiche, e da qui anche la multidimensionalità di tutto ciò che esiste.

Il corpo si manifesta e si crea istante per istante secondo il potenziale creativo espresso dalle particelle di vita che lo compongono, le stesse determinano le funzioni e le proprietà di tutte le cellule.

Più abbondanti in brillantezza sono gli elementi che ti compongono, più aumenta il tuo interesse nei confronti dell'idea di ampliare i tuoi orizzonti di conoscenza, hai un'intuizione più chiara, manifesti sentimenti molto più profondi, ti concentri meglio sulla tua crescita, sei più sano eccetera.

Proprio come ogni iride, impronta digitale o fiocco di neve è unico, così sono anche le particelle di vita che sono alla base della creazione di tutto ciò che esiste.

Su ogni essere vivente puoi dire infinite informazioni. Puoi scegliere alcune parole per costruire una definizione rozza, superficiale ed incompleta del colibrì, ad esempio, ma quella definizione non assume troppo valore perché non può comprendere la complessità di questo essere.

La definizione standardizza e stabilisce quali sono gli elementi comuni di più argomenti di riferimento, ma omette l'unicità.

• GEOMETRIA DEL CORPO UMANO

Ogni particella di vita si configura sotto forma di un disegno geometrico spaziale la cui disposizione e simmetria viene sempre trasformata.

SIMETRIA, L'ESPRESSIONE
DELL'EQUILIBRIO

Ti trovi in un processo continuo di creazione basato sui codici di creazione e sulle informazioni che accedi e che esprimi.

Durante la tua esistenza, la tua fisionomia e la struttura fisica cambiano per riprodurre l'insieme delle frequenze di tutto ciò che crei, indipendentemente se si tratta di pensieri, emozioni, scelte, desideri, azioni oppure esperienze.

Il mantenimento dell'aspetto giovanile, così come i processi di creazione, rigenerazione e guarigione delle cellule, è direttamente correlato con la luminosità e la geometria sacra di ogni cellula.

Ovvio che anche i volti più simmetrici presentano comunque delle asimmetrie. Visto che ogni cellula è unica e ha le proprie caratteristiche, non si può dire che le sopracciglia o gli occhi che si trovano sullo stesso viso siano identici.

Le persone la cui energia oscilla in modo caotico tendono ad avere una vita prevalentemente disordinata e a non rispecchiare l'equilibrio e la chiarezza nel modo in cui: si relazionano alle loro esperienze, pensano, parlano, agiscono e così via. Pertanto, le differenze da una cellula all'altra aumentano notevolmente, ad un certo punto il loro corpo sviluppando una moltitudine di asimmetrie che diventano visibili.

La pronunciata asimmetria del corpo umano può essere una conseguenza del fatto che le particelle di vita delle sue due metà non concordano dal punto di vista geometrico a causa della dualità e dei conflitti interiori espressi. Quindi il corpo presenta una moltitudine di linee, percorsi e schemi energetici che sono diversi in ciascuna metà di esso. Le linee del palmo sinistro sono diverse da quelle del palmo destro, poiché due metà di una foglia non hanno la stessa disposizione delle nervature.

Ogni percezione a cui scegli di subordinare te stesso a un livello sottile determina la materializzazione di alcune caratteristiche a un livello grossolano.

Le identificazioni che hai, i condizionamenti assunti e le scelte che fai per mancanza di conoscenza ti impediscono di creare un corpo molto più simmetrico e armonioso, così come desideri.

La geometria del tuo corpo è influenzata anche dall'azione modellante delle onde di energia create ed emesse dagli esseri nell'ambiente in cui ti trovi, con la cui densità entri in risonanza. Per questo motivo, è utile circondarti di persone le cui onde e vibrazioni possono contribuire a mantenere o elevare l'equilibrio della geometria sacra del tuo corpo.

I nostri corpi sono in un continuo processo di trasformazione. L'insieme di sentimenti che creiamo in qualsiasi momento della vita è impresso a livello di ogni cellula del corpo.

Prendiamo l'esempio di una persona che incontra il suo partner giusto accanto al quale cresce nell'amore, nella felicità... Entrambi i corpi si trasformano e i loro volti irradiano attraverso tutti i pori ciò che sentono. Essendo guardato con amore, finisci per amarti sempre di più e prestare maggiore attenzione al tuo essere. Allo stesso tempo, essendo percepito dalla persona amata al di là dei filtri attraverso i quali sei abituato a percepire te stesso, finisci per metterli da parte, uno per uno, e rimanere nella tua vera brillantezza. Più sono alti l'amore e l'attenzione che dai al tuo corpo, così come alla persona amata, più bella sarà la crescita di entrambi.

Ogni essere umano è come un *mandala vivente* che si trasforma di continuo. Coloro che contemplano il volto di una persona vengono influenzati dalle vibrazioni e dai modelli geometrici espressi dal progetto creativo del suo corpo.

Le persone che abbondano di codici creativi hanno un'influenza positiva su coloro che li stanno intorno.

Sotto l'azione delle onde di energia che emettono verso l'infinito, tutto aumenta in termini di vitalità e *fiorisce*. L'impatto generato da queste onde è più intenso nelle immediate vicinanze della *sorgente* che le produce e man mano che si allontanano diventano meno evidenti. Al contrario, coloro che tendono ad essere distruttivi, soprattutto nei confronti del proprio essere, imprimono distruzione per di più nelle forme di vita con cui interagiscono. Ad esempio, si dice che ci sono persone portino sfortuna, e per questo motivo vengono rifiutate da coloro che capiscono di essere influenzate negativamente dalla loro semplice presenza.

In altre parole, se ti circondi da persone povere, ammalate e sofferenti, ti calibri in percentuali e modi differenti alla loro configurazione energetica e, di conseguenza, arrivi a somigliare loro.

Se vuoi avere i capelli spessi, lunghi, setosi e forti, può essere sufficiente contemplare in modo puro e amorevole quelle persone che hanno tali capelli e consentirti di calibrare te stesso alla complessità dei codici creativi che queste persone hanno. Inoltre, se vuoi essere più centrato, può essere utile contemplare semplicemente varie pietre di diverse dimensioni e forme che sono state posizionate una sopra l'altra in un perfetto equilibrio. Quest'arte delle pietre in equilibrio rappresenta un'espressione della tranquillità e della pace interiore che vive il suo autore, ma anche dell'armonia che si ritrova nell'ambiente in questione.

Guarda il più spesso possibile gli ideali geometrici che vuoi raggiungere, e così li materializzerai molto più velocemente.

Il semplice fatto di essere accanto ad una persona la cui configurazione energetica esprime amore e appagamento ti influenza con frequenze che facilitano la tua evoluzione.

Avere un corpo simmetrico e armonioso non dovrebbe essere considerato una cosa rara o impossibile da materializzare, ma una cosa perfettamente genuino e naturale.

LA BELEZZA DI OGNUNO

Il volto di ognuno di noi raffigura la storia della nostra vita. Chi guarda con distacco la storia della sua vita e si accetta così com'è, esprime meno giudizi di valore sull'aspetto fisico di coloro che lo circondano. Praticamente, questo atteggiamento rispecchia il modo in cui si relaziona a sé stesso.

La bellezza è solo una parola a cui molti hanno cercato di trovare una definizione, ma questa definizione è soggettiva, che differisce da persona a persona, da un'area geografica all'altra, da un periodo storico all'altro.

Ogni paese costruisce i propri criteri e modelli con riferimento a come il corpo *dovrebbe* apparire per poter essere considerato bello e attraente. Più l'influenza a livello globale di un paese è maggiore, più difficile avrà una parola in merito da dire sotto tutti gli aspetti, compreso il verificarsi e la cessazione di determinate tendenze, nonché la definizione delle modalità in cui l'ideale di bellezza prestabilito può essere raggiunto.

Le discrepanze riguardanti i canoni di bellezza che si manifestano da un anno all'altro possono portare alla diminuzione dell'amore per il proprio corpo e della fiducia nella sua potenza e intelligenza; l'approccio superficiale *dell'energia* che si manifesta attraverso di te; l'elaborazione di alcuni confronti assurdi che potenziano le tue frustrazioni e complessi ecc.

Molte persone si sono prefissate *l'obiettivo* di raggiungere la bellezza che è stata loro insegnata e quindi hanno fatto ricorso a gesti assurdi nell'idea di conformarsi ad alcune direzioni prive di significato. È spesso accaduto che il raggiungimento dell'ideale di bellezza porti al disturbo del flusso di energia, al disturbo della geometria sacra e alla deformazione del corpo fisico.

Contemporaneamente al passare del tempo, qualsiasi corrente viene sostituita da un'altra. Coloro che una volta si sono conformati a determinate correnti e hanno cambiato il loro aspetto fisico per soddisfare le loro aspettative possono diventare insoddisfatti del fatto che non si adattano più ai nuovi modelli. Pertanto, diventano dipendenti dal ricorrere di nuovo ad altri cambiamenti per tenersi aggiornati. Questa cosa si ripete fino al momento in cui iniziano: ad apprezzarsi e ad accettarsi per come sono, a vedere la bellezza dentro di loro al di là delle percezioni o delle aspettative, ad avere fiducia in sé stessi, a vedere sé stessi meravigliosi e unici, indipendentemente da quello che pensano coloro che li circondano.

Dal desiderio di essere convalidati e accettati dalla società (perché, a un livello sottile, loro stessi non si accettano) e di far parte di un gruppo, alcune persone fanno compromessi e sacrifici. Essendo così vulnerabili, cercano l'apprezzamento di coloro che li circondano e, se non sono soddisfatti del *feedback* che ricevono, continuano la serie delle trasformazioni del loro corpo per mantenere vivo l'interesse degli altri, e quindi vengono sempre con qualcosa *di nuovo*.

Con il nuovo aspetto innaturale che scelgono di sperimentare, questi diventano instabili dal punto di vista mentale ed emotivo, soprattutto perché il viso di ogni persona nella sua forma naturale è un'espressione della sua storia di vita, ma anche del livello di profondità che i suoi sentimenti interiori toccano. Quindi si verificano nuove sofferenze, frustrazioni e complessi che, il più delle volte, sono travolgenti.

Così come i sentimenti interiori determinano il tuo aspetto, così gli aspetti fisici influenzano i tuoi pensieri e le tue emozioni.

Non si deve fraintendere che migliorare il proprio aspetto è sbagliato. Finché una persona si assume le scelte fatte e sta bene con sé stesso, è perfetto.

Ci sono persone che non intraprendono nulla per esaltare la loro bellezza e che, semplicemente, non possono assumere il proprio aspetto alla cui creazione contribuisce momento per momento. È preferibile apportare cambiamenti assunti che continuare a lamentarsi e ad essere insoddisfatti.

Al giorno d'oggi si mette troppo accento sulla falsità e sull'insoddisfazione e troppo poco alla naturalezza, integrità, apprezzamento e amor proprio. Ad un certo punto, la falsità che l'uomo associa al suo aspetto viene a essere proiettata nelle relazioni che ha, compresa quella con sé stesso. Quando le persone si concentrano sulla soddisfazione e sulla costruzione di un ego forte, le relazioni che attraggono durano pochissimo e riflettono la loro superficialità.

Ci sono persone i cui corpi hanno un aspetto molto gradevole e che considereremmo particolarmente belli, ma che trovano comunque un *difetto* e un *mezzo* per porre rimedio al loro corpo. I complessi e le percezioni che vengono inoculate li inducono a sottovalutarsi, ad essere diffidenti e in una corsa continua dopo aver raggiunto la perfezione, che del resto non è standard, ma è diversa da persona a persona.

La perfezione non è assoluta, ma ha un'infinità di livelli attraverso i quali può essere espressa, e man mano che ti perfezioni, la tua materia inizia a cambiare forma per riprodurre le trasformazioni sottili che si verificano.

Ogni persona è perfetta nella sua imperfezione, e quando arriva a sentire e a capire ciò, semplicemente ami te stesso esattamente come sei stato, sei e sarai.

Se, per assurdità, si potesse raggiungere la perfezione assoluta, la finalità suprema, tutto si fermerebbe, in quanto nulla di nuovo si scoprirebbe e non succederebbe più. Sarebbe come se vivessimo in un mondo monotono in cui ci annoieremmo persino del nostro stesso essere oppure, altrimenti, la vita non esisterebbe nemmeno.

Il nuovo e la freschezza hanno la loro fonte in ogni particella di vita esistente e, implicitamente, in ognuno di noi. Finché abbiamo un potenziale infinito per rinnovarci, abbiamo anche il desiderio naturale di creare nuove forme di energia sempre più perfette.

I capolavori che ammiriamo e apprezziamo sono l'espressione di questo desiderio di essere migliori. Se i loro autori si fossero accontentati di rimanere bloccati in uno stato di mediocrità, l'intera Creazione sarebbe stata più povera. Praticamente, il loro potere creativo ci ha resi tutti più ricchi in percentuali e modi diversi, a seconda delle forme di prosperità che cerchiamo e che vogliamo manifestare.

Come sarebbe se invece di ritenersi brutti, concentreremmo la nostra attenzione, le scelte e le intenzioni nel crearsi più belli?

Indipendentemente del livello di perfezione in cui ci troviamo, è importante accettarsi per come siamo. L'accettazione percepita solo fino a un certo punto può portare sia all'autocompiacimento nella zona di comfort, sia alla sensazione secondo la quale ci ritroveremmo in una feroce battaglia con noi stessi. Ogni lotta comporta la comparsa di danni, di alcune ferite più o meno visibili, che oltre al fatto di non essere un'espressione di armonia, non portano nemmeno più bellezza al nostro corpo.

Dire che stai lottando con te stesso per diventare evolvere significa allontanarti da quella versione a cui aspiri, oltre a produrre una moltitudine di tensioni e lesioni sottili. Ad un certo punto, questi sottili danni energetici si materializzano in diverse lesioni cellulari che, inizialmente, sono minori e poi, a seguito della loro ripetibilità, assumono la forma di malattie la cui gravità e persistenza sono direttamente proporzionali all'intensità e all'ampiezza della densità, e del tumulto dei sentimenti che continui a emettere.

La vera accettazione è liberatoria, curativa, rinvigorente e in nessun modo straziante o distruttiva, come lo è la lotta, lo stato di resistenza e di rigidità.

Man mano che evolvi, aumenta stesso il potere della materializzazione e la materia si trasforma così che esprime più armonia e bellezza. Con tutto ciò, non tutte le persone che sono belle hanno una coscienza globale molto elevata. Il livello di consapevolezza di ognuno di noi può creare meravigliosamente certe caratteristiche della materia, mentre le altre possono esprimere più o meno limitatamente. Quindi, ci sono persone che non hanno un bel aspetto fisico, ma che hanno raggiunto un livello di conoscenza, comprensione e sensazione che consente loro di relazionarsi all'esistenza con maggiore profondità e saggezza.

Ognuno sceglie lungo la vita quali aspetti lucidare, soprattutto per quanto lo riguarda. Alcuni hanno un corpo molto ben lavorato, flessibile e forte, perché hanno scelto di sviluppare le loro capacità fisiche, mentre altri hanno scelto di concentrare la loro attenzione ed energia sull'essere più creativi e curare la loro immaginazione così bene da poter creare dei veri capolavori. Persino le persone che fanno parte della loro cerchia di influenza possono contribuire alle loro scelte. Ad esempio, coloro che sono stati circondati dalla bellezza fin da piccoli e spesso si sono sentiti dire che sono belli, essendo loro inoculata una forte fiducia a tal senso, si sono creati e sono stati creati per esprimere più bellezza.

Sentendoti bello, hai un atteggiamento che esprime bellezza e quindi puoi essere percepito incantevole da chi ti sta intorno. Se ti senti forte, emani forza attraverso tutti i pori. In altre parole, l'atteggiamento che hai verso te stesso è particolarmente importante, soprattutto perché genera scelte che hanno il potenziale per condurti nelle direzioni che sogni.

La bellezza porta un equilibrio in più nella vita di ognuno di noi. Se, per assurdità, non fossimo circondati dalla bellezza, le nostre vite sarebbero inimmaginabilmente grottesche e strazianti. La bellezza ci rende più fiduciosi, porta il sorriso sulle nostre labbra e un luccichio nei nostri sguardi e ci dà un entusiasmo costruttivo. L'entusiasmo, però, può anche avere una dimensione negativa nell'idea che ti fa perdere il senso della realtà.

Per ognuno di noi la bellezza assume determinate forme, volti, colori ecc., essendo soggettiva e addirittura indiscutibile da certi punti di vista. Se, ipoteticamente parlando, ti rende felice la bellezza del giglio, e qualcun altro gioisce della bellezza di un tulipano, ciò non significa che il tulipano sia inferiore o superiore al giglio. Entrambi i fiori sono speciali a modo loro.

L'equilibrio di ognuno di noi può essere esaltato dal sublime di un quadro straordinario, dalla cromatica viva della frutta che mangiamo, dal modo in cui viene decorata una torta, dall'eleganza di un abito o di un gioiello speciale, dalla luminosità di un cielo sereno, dalla contemplazione dei volti delle persone a noi care...

A seconda dei filtri attraverso i quali guardi all'esistenza, si può dire in generale che la bellezza è rinfrescante, mentre la bruttezza fa sbiadire la vita dentro di te.

Vi è certamente capitato di incontrare persone che sia sono diventate più incantevoli con il passare degli anni, sia sono diventate sempre più ripugnanti, nonostante in gioventù avevano un aspetto fisico piacevole. Ciò è dovuto alla direzione ascendente o discendente seguita dalla loro evoluzione spirituale e materiale. Se l'ambiente familiare in cui vivi è *fertile* e favorevole alla tua crescita e sei rilassato, temperato, soddisfatto, felice, amorevole, allora le tue cellule sono create all'altezza di tutto ciò che vibra.

Avendo spesso la fissazione e l'impressione che il tuo corpo non possa essere gradevole di quanto lo sia adesso, non ti consenti nemmeno di crearti a un livello superiore. Invece, essendo flessibile e scegliendo di vederti giovane e bello allora persino le tue cellule vengono disposte in modo tale da materializzare le direzioni che conferisci al tuo progetto di creazione.

Ogni parte microscopica che ti compone è senza tempo, così come la tua essenza divina. L'età cronologica insieme agli orari ad essa assegnati, possono definirti nella misura in cui credi nei loro effetti sul tuo corpo. La giovinezza e, implicitamente, la vitalità delle cellule, si innalzano a seconda di come scegli di vedere te stesso, di sentire ed esternare i tuoi sentimenti attraverso varie azioni e scelte.

Molti trascurano il proprio aspetto fisico, trovando scuse come ad esempio: non hanno tempo per prendersi cura del proprio corpo, per coccolarlo e per dargli attenzione e amore; hanno già un compagno di vita, quindi non devono fare molto per attirare la sua attenzione; ci sono altre cose più importanti del modo in cui appaiono; hanno l'età in cui l'aspetto fisico non conta più così tanto. Sebbene siano i principali responsabili del loro aspetto fisico, continuano a vittimizzare sé stessi, persistono nell'avere una mentalità limitata, non fanno nulla di concreto per condurre una vita migliore e ripetono relativamente gli stessi errori. Tenendo conto che scelgono di trascurare sé stessi, come possono attrarre le persone che diano loro l'attenzione che tanto desiderano e che nemmeno loro non sono in grado di regalare a sé stressi? In altre parole, ricevi a seconda di come sei e a seconda di ciò che offri.

Il modo in cui appare il tuo corpo è l'espressione dell'attenzione e dell'amore che gli dai. Se vuoi esprimere più bellezza, prima di tutto ama te stesso e amati per come sei. Sii in armonia e fluisci con la Creazione, goditi *la vita* che si esprime attraverso di te e sentiti intero e meraviglioso con ogni momento che passa!

Un fiore non è bello perché vuole far colpo su qualcuno o perché considera la sua bellezza un motivo di gioia. La sua bellezza è un'espressione della fusione tra il suo potere creativo e le infinite onde di energia emesse dagli altri *bagliori* del Multiverso con cui entra in armonia dal punto di vista della coscienza che si manifesta, visto che siamo tutt'*uno* e ci creiamo *l'un l'altro*.

Una volta che hai capito che la bellezza che hai non è solo il *tuo* merito, non ti senti più così orgoglioso del tuo aspetto.

Nei luoghi del pianeta in cui le vibrazioni sono elevate, la natura abbonda di colori vivaci, acque cristalline, vegetazione lussureggiante. E le persone che hanno una coscienza elevata hanno la pelle luminosa, i capelli lucenti e setosi, l'organismo abbondante in fluidi molto più puri e così via.

Ogni essere è un creatore, indipendentemente se è consapevole o meno del suo potere.

Mettendoti l'intento che le piante del tuo giardino diventino più incantevoli e più intensamente colorate fai in modo che questi manifestino ancora di più il loro potere creativo. Questo perché, a un livello sottile, hai trasmesso loro determinate onde di energia, codici di creazione e informazioni a loro sostegno. Puoi avere una tale intenzione verso qualsiasi altra forma di vita.

In ogni momento, puoi contribuire al decadimento o alla perfezione della geometria sacra di tutto ciò che ti circonda.

GLI EFFETTI DEI SENTIMENTI

Il cuore imprime un ritmo specifico a l'intero organismo, essendo, allo stesso tempo, l'espressione del ritmo di ogni elemento costitutivo del tuo essere.

Se a un certo punto le tue cellule sostengono maggiormente lo stato di rabbia, allora il tuo cuore riceve le frequenze da loro emesse, trasmettendole verso ogni cellula del corpo, ma bensì al di là di esso.

Sia le cellule che sono influenzate dalla sofferenza e dall'odio, sia quelle che generano sentimenti profondi, hanno un campo energetico più contratto. Le loro funzioni e proprietà sono compromesse, la loro evoluzione è rallentata, viene loro limitato l'accesso e l'espressione delle informazioni contenute nei codici di creazione che avrebbero sostenuto la loro trasformazione in una versione ancora superiore ecc. In una tale situazione, la densità degli elementi del corpo aumenta, in modo che: il succo gastrico diventa più acido, il sangue diminuisce il suo pH, le lacrime si ioncentrano maggiormente nei sali ecc.

La configurazione stessa del cuore (o qualsiasi altro organo) e la disposizione delle cellule che lo formano, è dovuta altresì alle sottili caratteristiche geometriche dell'energia che lo delinea.

Più esprimi amore a livello globale, più sano sarà il tuo cuore, più armoniosi saranno i suoi battiti e questo può essere osservato a livello dell'intero corpo, che è più pieno di vitalità.

Ogni parte componente dei sistemi che compongono e sostengono il tuo corpo è una struttura energetica in base alla quale ogni cellula del sangue viene calibrata di continuo. Pertanto, le cellule del sangue arrivano a manifestare determinate funzioni e proprietà a seconda delle sensazioni e della densità di ciascun componente dei tessuti che transitano e nutrono. Non solo le cellule del sangue si trasformano, ma pure le cellule dei tessuti con cui vengono a contatto. Le calibrazioni avvengono su entrambi i lati, risultando nuove esperienze che portano alla manifestazione di nuove coscienze.

Il modo in cui guardi te stesso, le parole che ti rivolgi e ciò che pensi di te stesso determinano il funzionamento del tuo corpo in base a determinati parametri. Se vedi le tue mani molto belle e giovani, ovviamente la pelle e le altre strutture che le costruiscono sono nutrite in modo ottimale. Quindi, a livello dello stesso corpo, dal punto di vista della freschezza e della giovinezza, possono verificarsi discrepanze tra le sue parti componenti a seconda dell'amore, dell'apprezzamento e dell'accettazione che esprimi nei loro confronti.

Rifiutando una certa parte del corpo per il semplice fatto che sei insoddisfatto del suo aspetto, non fai altro che interromperne i processi creativi. Ad esempio, la pelle nutre e svolge le sue funzioni unitamente alla modalità in cui ti relazioni con ogni parte componente del corpo. Di concreto, se guardando il tuo viso allo specchio dici che è brutto, pallido e pieno di rughe o che la tua pelle è secca, le dinamiche e le geometrie corrispondenti alle zone su cui hai fatto tali affermazioni si configurano, in modo tale da conformarsi alle nuove impostazioni. Uno degli effetti di queste affermazioni è che il sangue non fornisce più alla pelle del viso la giusta quantità di sostanze nutritive, acqua e ossigeno per mantenerla fresca e giovane, questa si addensa e assume un aspetto invecchiato.

Come creare più bellezza visto che esprimi ancora odio e insoddisfazione?

Man mano che mostri più comprensione, accettazione, amore e gioia nei tuoi confronti, risulta più facile trasformare i tuoi difetti in qualità. L'odio che hai accumulato per tutta la vita nei tessuti può essere alchimizzato in amore, anche in pochi momenti di consapevolezza intensa e pura.

Probabilmente ti sei chiesto come mostrare accettazione nei confronti di tutti coloro che ti hanno ferito o come accettare te stesso perché:

- ✓ in certe situazioni e da certi punti di vista hai sbagliato;
- ✓ non sei così bello come vorresti essere;
- ✓ non hai realizzato i tuoi sogni;
- ✓ accetti le situazioni che ti fanno soffrire;
- ✓ la tua vita è un caos;
- ✓ ti circondi di persone che ti fanno allontanare dai tuoi obiettivi;
- ✓ hai fatto ammalare il tuo corpo;
- ✓ non sei riuscito a costruire un matrimonio appagante ecc.

Da un certo punto di vista, sarebbe naturale rifiutare te stesso per tutto questo, odiarti, essere duro con te stesso, punirti o criticarti, ma così facendo, non significa che potrai cancellare con una spugna le esperienze spiacevoli e andare avanti come se nulla fosse accaduto.

Il rimprovero è benefico fino a un certo punto,

nell'idea in cui si materializza con la tua mobilitazione nel senso di prendere quelle decisioni che ti portano fuori dalla situazione in cui ti trovi e che ti elevano a un livello più alto dell'essere.

La cosa migliore che puoi fare è accettare che ogni volta che hai fatto una cosa *sbagliata,* non avevi la conoscenza e l'esperienza necessarie per un approccio complesso alle situazioni che hai affrontato e non eri consapevole della conoscenza interiore, che può guidarti intuitivamente, in modo tale da crearti una vita più bella. A volte, anche ignorare la propria intuizione può portare a una serie di eventi insoddisfacenti.

È importante capire e accettare le tue debolezze momentanee, senza perderti nella lotta con te stesso. Pensa al fatto che le debolezze sono come una ferita alla quale se continui a fare del male ancora di più, renderai più difficile la guarigione. Ogni ferita ha bisogno di cure, amore e un ambiente rivitalizzante.

Può essere facile cadere *nella trappola dell'accettazione,* nel senso che ti compiaci ancora e ancora nelle stesse debolezze, pensando siano naturali. La stessa scelta di migliorarsi comporta due aspetti antitetici, ma allo stesso tempo complementari. Da un lato accetti ogni esperienza che hai vissuto, e dall'altro fai una selezione consapevole degli attributi che vuoi manifestare in particolare. La selezione stessa comporta il rifiuto, rispettivamente la rimozione soggettiva di qualcosa a scapito di qualcos'altro che contribuisce al tuo miglioramento.

Da non intendersi il rifiuto soltanto in senso negativo. Come ogni altra esperienza, che sia considerata una qualità o un difetto, il rifiuto ha due dimensioni: una distruttiva, che viene accompagnata da sofferenza, tensione o danni, e una costruttiva, che scaturisce dalla conoscenza, dal distacco, dalla creatività, dalla felicità o dalla prosperità. In altre parole, il rifiuto può essere considerato un modo per proteggersi, il che significa allontanarsi uno ad uno da tutto cio con cui non risuoni più e che non ti definiscono più.

Anche se fai del tuo meglio per superare la tua condizione, potresti comunque avere dei momenti in cui cadi, rimani bloccato in certi stati e ti chiedi: *Come posso amare me stesso in tali momenti?*.

Tenendo conto che è nella natura dell'energia oscillare, è naturale che quando ti consenti l'ascesa, ti amerai di più, ti divertirai e ti coccolerai, e quando cadrai, incolperai e punirai te stesso per certi errori. Mentre l'autocritica e l'insoddisfazione di sé distruggono alcune persone, per altre persone rappresenta una spinta a crearsi molto più belli e risveglia in loro quella ambizione di brillare ancora di più.

Il tuo stesso essere reagisce spontaneamente a seconda degli attaccamenti, degli automatismi e dei pregiudizi che hai. Quindi, in un contesto particolare, puoi essere molto più duro di dovrebbe essere necessario oppure puoi essere molto più permissivo di quanto sarebbe stato il caso.

Direttamente proporzionale alla precisione con cui percepisci le realtà circostanti è il modo in cui reagisci nei tuoi confronti oppure nei confronti del prossimo, un modo che, peraltro, è impregnato di una notevole dose di soggettivismo. Il soggettivismo è determinato in una percentuale maggioritaria dalle direzioni che scegli di seguire, che possono essere prevalentemente creative o prevalentemente distruttive.

Rifiutare te stesso quando sei distruttivo può sembrare una cosa naturale da fare, elle condizioni in cui, di solito, ti concentri nel manifestare sempre di più il tuo lato creativo. Invece, più permissivo sei nell'intraprendere azioni distruttive, meno tendi a rimproverarti oppure a non fare nulla di concreto per diventare una versione migliore di te stesso.

Se avessi più aspettative da te stesso di quanto sarebbe naturale secondo la tua realtà, allora ci sarebbe la possibilità che gli sforzi che stai compiendo ti facciano più male che bene.

Ogni *adesso* è diverso, quindi è ovvio che non puoi relazionarti a te stesso allo stesso modo a seconda delle oscillazioni che hai. Tuttavia, non è utile soffermarti troppo nei modi in cui ti manifesti con queste oscillazioni.

Così come il semplice fatto di non amarti a volte per quanto te lo meriti influisce su tutto il tuo essere, così l'odio che provi per gli altri può far loro del male. Non devi sentirti in colpa o vergognarti di non amare alla stessa maniera tutte le persone o di non amarti con la stessa misura, indipendentemente da quello che dici, fai, senti, pensi.

Vivendo momenti unici ed essendo unici, non possiamo relazionarci in modo identico a tutti. È normale amare alcuni più di altri a seconda di quanto entri in armonia con loro, con la loro brillantezza, con ciò che offrono o meritano... Ami una persona in un modo, un altro in un altro e così via. Il tuo amore non è un amore standard, che puoi vivere con la stessa profondità e complessità nei confronti di qualsiasi persona.

I modi in cui ci veniamo incontro e ci doniamo all'esistenza sono infiniti. Alcune persone sono facili da amare e le belle sensazioni che provi per loro appaiono spontanee e pure, senza fare alcuno sforzo a tal senso. Il tentativo di sentire amore per coloro che suscitano in te rifiuto e odio, comporta essere falso e sforzarti ad essere nei loro confronti ciò che non sei, oltre a dare loro ciò che non hai per loro. In generale, è molto più prezioso mantenere la tua sincerità, autenticità e integrità, ma ci sono anche situazioni in cui è appropriato scendere a compromessi, visto che non vivi solo per te stesso e sei tutt'uno con tutto ciò che esiste.

È essenziale che tu capisca quanto i compromessi siano vantaggiosi visto che sono fatti per la tua crescita e per coloro che ti circondano. Un esempio potrebbe essere quello in cui i partner della coppia non sono d'accordo su una scelta. Se nessuno di loro si arrende e continua ad affondare in quegli stati densi, allora tutta la loro giornata, e forse anche i prossimi giorni, saranno compromessi e rimarranno arrabbiati l'uno con l'altro. Inoltre, si penseranno l'un l'altro con rabbia e invieranno energie negative, che avranno conseguenze in varie forme nel loro corpo. Una tale coppia in cui prevalgono stati di conflitto, litigi, insoddisfazione e rimproveri, non va nella giusta direzione. Invece di evolversi, decadono e lungo il tempo i loro corpi si degradano progressivamente. D'altra parte, se ognuno di loro si sente intuitivo quando mette da parte l'orgoglio e sostiene consapevolmente l'altro nelle scelte che lo rendono felice, allora entrambi aumentano a vicenda i sentimenti elevati e la brillantezza e non c'è bisogno di compromessi. È come se *ballassero* insieme allo stesso ritmo e con una coordinazione speciale.

Spesso, il modo in cui ti relazioni con le persone è una risposta a ciò che loro trasmettono all'Universo. Il fatto che tu ami alcune persone più di altre è dovuto all'apertura e alla profondità con cui esprimono il loro amore.

Le persone a volte sperimentano forti delusioni che li fanno decadere dal punto di vista psichico ed emotivo, si rinchiudono dentro sé stesse e limitano il loro amore proprio perché le aspettative che hanno da coloro con cui interagiscono sono sia troppo alte, sia troppo lontane dalla realtà.

Ogni persona ha le sue prospettive che, vengono delineate attraverso il prisma delle opinioni di chi la circonda. Man mano che arrivi a leggere, a sentire meglio le persone e comprendi che le opinioni e il comportamento di molti sono distorti dai filtri e dalla programmazione, rinunci a dare tanto valore alle opinioni degli altri e perciò non hai più così tante aspettative irrealistiche da loro.

Man mano che acquisisci conoscenza di te stesso, presti attenzione ai tuoi sentimenti e non dai più importanza alle opinioni di coloro che ancora non riescono a capire sé stessi, e di conseguenza non hanno sviluppato sufficientemente la capacità di comprendere quelli di cui si circondano.

Prestando troppa attenzione alle opinioni degli altri, potresti non concentrarti su come ti senti veramente. Come accontentare coloro che non sono in pace con la propria vita e sprecano il loro tempo sfidando gli altri? Se la tua opinione su te stesso non ti soddisfa, e questo perché, in maniera illusoria, sei particolarmente interessato a soddisfare le aspettative degli altri, allora vi è la possibilità di perdere la propria vita. Non puoi far sì che tutti siano come sei e condividere il tuo stile di vita, i sentimenti, le convinzioni, le opinioni, le azioni, le scelte e così via.

Le aspettative non sono necessariamente cattive o buone, ma sono semplicemente sentimenti che sperimentiamo in una miriade di modi.

L'AUMENTO DI PESO

Il corpo di ognuno di noi è unico, quindi non tutte le persone aumentano di peso per gli stessi motivi. Ad esempio, ci sono persone che vogliono davvero perdere peso, ma nonostante facciano sport, seguono diete o soffrono la fame, non riescono comunque a raggiungere il risultato dei sogni. Spesso ci si chiede cosa non stiano facendo correttamente oppure a quali mezzi esterni dovrebbero ricorrere, ma non sanno una cosa molto importante: il corpo si nutre non solo di cibo palpabile, ma allo stesso tempo di cibo sottile, cioè con forme di energia *pensiero - emozione*. Pure il modo in cui si sentono e pensano ha un impatto considerevole sul loro aspetto fisico. Coloro che non sono soddisfatti del loro aspetto non offrono nemmeno abbastanza attenzione, dedizione, amore e gratitudine al proprio corpo.

L'aumento di peso è influenzato dall'identificazione con i membri della famiglia o con altre persone in sovrappeso. Nella misura in cui ti metti al loro posto, cerchi di imitarli e copiarli, provi paura di diventare come loro, ti vergogni di essere in loro presenza o pensi di dover necessariamente assomigliare a loro, calibrarti in diversi percentuali alla loro dimensione energetica, alle informazioni e ai parametri operativi del loro corpo.

Sei come nessun altro, anche se porti nel tuo DNA le informazioni delle esperienze e delle caratteristiche fisiche di tutti i membri del tuo albero genealogico che fiorisce attraverso di te. Come risultato della fusione delle energie dei tuoi genitori, sei risultato *te* come una *nuova* forma di energia, ma il fatto che ti sia stato detto innumerevoli volte che sei particolarmente simile a certi ascendenti ti ha spinto a formarti in modo tale da poter riprodurre meglio le loro caratteristiche.

Se fossi stato incoraggiato a crescere e svilupparti secondo i codici di creazione che sono tutt'uno con te prima di nascere, avresti avuto un percorso di vita completamente diverso. Facciamo il seguente esempio: immagina un giardino in cui un tulipano giallo viene piantato tra due rose rosse. Inizialmente il tulipano manifesta tutte le sue proprietà, ma negli anni viene impollinato da api e farfalle che si dilettano nel polline dei fiori di rosa che lo circondano. Ad un certo punto, a seguito delle calibrazioni che avvengono tra le energie di questi fiori, il profumo del tulipano si trasforma in uno molto più dolce, simile alle due rose, e i suoi petali gialli si pigmentano con alcune iridescenze rosse. Persino le rose si alchimizzano più o meno visibilmente sotto l'azione modellante delle onde energetiche emesse dal tulipano piantato tra di loro. Lo stesso accade con ciascuno di noi, nel senso che trasmettiamo diverse onde di energia e *ci copiamo* a vicenda in modi diversi per crearci diversi e complessi.

Un altro fattore che rende difficile il raggiungimento di un peso corporeo ottimale è l'atteggiamento di mancata accettazione con cui ti relazioni al tuo corpo. Ogni volta che ti guardi allo specchio e dici a te stesso: *Che pancia grande che ho!*, *Odio il mio corpo*, *Non ce la faccio più' ad essere grasso*, *Guarda che cosce grandi che ho!*, *Non importa quanto sport faccia e qualsiasi dieta segua, sono sempre grasso!* ecc., amplifichi le tensioni del tuo corpo, imprimendogli ancora più fortemente le impostazioni che lo determinano a crearsi a seconda di quanto ti rende insoddisfatto. In altre parole, sei e crei te stesso esattamente come ti percepisci. Raggiungere un peso vicino ideale significa non solo avere una dieta equilibrata, ma soprattutto essere rilassato e distaccato dal risultato che intendi ottenere. Il semplice fatto di volere qualcosa con forza e di avere un atteggiamento critico e aggressivo nei confronti di sé stessi è un ostacolo al tuo divenire.

Le percezioni secondo cui *qualsiasi alimento ti fa ingrassare* distorce il modo di funzionamento del tuo corpo. Avendo una tale mentalità, anche se mangi tanto quanto una persona che ha il peso ottimale, è difficile per te perdere peso.

Come sarebbe se invece delle affermazioni con cui ti

sottometti, trasmetti al tuo corpo: *Amo ogni cellula che mi compone, Sono in armonia con me stesso e irradio felicità, Mi procuro le reali esigenze del corpo, Mi sento molto bene nella mia pelle* e prestare attenzione a come l'energia di queste parole vibrano in tutto il tuo essere.

Se hai l'impressione che sia difficile per te apportare modifiche e sei convinto di fluttuare in modo caotico di peso, allora continuerai a girare nello stesso ciclo. Al contrario, se ti senti meravigliosamente nella tua pelle e ti vedi spesso pieno di fiducia, grinta e determinazione, in una forma fisica eccezionale, allora le trasformazioni fluiscono armoniosamente e ti portano al punto che hai scelto.

È essenziale capire che se decidi di perdere molto peso entro un mese, condizioni il tuo corpo a funzionare secondo alcune impostazioni che possono generare squilibri.

L'energia di ogni essere ha le sue dinamiche che attraggono, a seconda della compatibilità, esperienze che sono anch'esse energia. Può accadere di voler guidare la tua vita in base ai numeri, ma non sono i numeri stessi ad attrarre relazioni, denaro oppure un corpo con un peso normale, ma sei tu quello che può rendere possibili i sogni che hai delineato.

È inutile desiderare di raggiungere un certo peso se la dinamica delle energie che compongono il tuo corpo e dei tuoi pensieri, emozioni, scelte, intenzioni e azioni non sono in armonia con la dinamica in questione. Inoltre, la forma delle cellule e del corpo è determinata dalla dinamica delle energie sottili e grossolane non soltanto tue, ma anche dell'ambiente in cui vivi.

Stabilendo che alcune esperienze ti capitino in base ai numeri, ignori, ometti o rifiuti la possibilità di sincronizzarti con una moltitudine di altre esperienze appaganti.

Probabilmente ti sei proposto di perdere dieci kg in due mesi, ma se non ti fossi programmato in quel modo e ti fossi fidato del tuo corpo per essere in grado di perdere peso in modo equilibrato, i risultati avrebbero potuto essere molto più soddisfacenti e con meno effetti avversi. La tua pelle e i tuoi muscoli avrebbero mantenuto un tono più bello e i tuoi organi non sarebbero stati sottoposti a uno stress tale da farli decadere in termini di funzioni e proprietà.

Un altro fattore che può portare all'aumento di peso è rappresentato dalle identificazioni che hai nei confronti dei problemi degli altri, che porta all'accumulo nel tuo corpo di ogni tipo di energia densa che ti fa sentire spesso carico e appesantito.

UN TOCCO DI FRESCHEZZA

Sicuramente avrai sentito il sintagma *il sonno di bellezza*. Ogni volta che dormi, entri effettivamente in uno stato di relax più profondo di quello che manifesti quando sei sveglio, e così riesci a creare te stesso molto più bello e armonioso. Lo stesso accade nei momenti di *meditazione* o di *yoga*, quando il tuo essere entra in dimensioni elevate dell'*essere*.

Nella misura in cui: hai la percezione di essere esausto, ti stressi, soffri, sei teso e svolgi attività che richiedono intensamente la tua energia, il tuo corpo aumenta la sua densità e diminuisce progressivamente la sua vitalità e luminosità. Allo stesso tempo, però, i processi di rigenerazione e guarigione cellulare procedono in maniera limitata, e il corpo inizia a deteriorarsi e ad assumere un aspetto invecchiato e disarmonico.

Essendo sempre più consapevole del proprio potenziale e consentirti di crescere su più livelli possibili, anche in termini di relax e pace che puoi sperimentare ti senti quasi sempre riposato, hai un aspetto più bello e hai bisogno di meno tempo per offrirti un nuovo *refresh*. Certo, per questo è necessario rinunciare alla programmazione secondo la quale tutte le persone necessitano circa otto ore di sonno. Ogni corpo è unico, per questo motivo non è certo indicato seguire le informazioni generali che portano alla standardizzazione.

Probabilmente avrai notato che, inizialmente, la maggior parte dei bambini sono belli, ma durante la loro crescita e sviluppo, a causa delle convinzioni limitanti che sono costretti ad acquisire, si allontanano dai tratti puri che inizialmente esprimevano.

A poco a poco, imparano ad essere tesi, ad amarsi sempre meno e a reprimere i loro sentimenti interiori che creano e sentono di esternare, le esperienze che vogliono offrire, i bisogni del loro corpo e così via. Tutto questo accade perché notano un approccio simile negli adulti che li circondano che arrivano a ritenerlo del tutto naturale.

La geometria del viso di un bambino esprime il relax e l'armonia interiore. Se dovessimo dare per scontata la situazione in cui un bambino avvertirebbe anche per pochi secondi lo stato di tensione del volto pieno di righe di un anziano, molto probabilmente percepirebbe un dolore che difficilmente potrebbe sopportare.

I bambini hanno numerose espressioni facciali che risultano da uno stato di rilassamento e gioia, fluiscono con ciò che sentono e sono tutt'uno con il momento, senza reprimere i loro sentimenti e senza essere arrabbiati troppo a lungo, e per questo motivo, non hanno nemmeno le rughe.

La maggior parte degli adulti, anche se ridono o sorridono, spesso lo fanno sullo sfondo di uno stato di tensione, essendo raramente fluenti e tutt'uno con il momento. La risata dei bambini appartiene a tutto il corpo, visto che la maggior parte delle cellule sono coinvolte in questo atto, a differenza della risata degli adulti che, il più delle volte, viene localizzata a livello del viso.

Avendo ogni tipo di espressione facciale causata da una tensione che si accumula progressivamente, il tono dei muscoli del viso ripristina in ogni momento la sua normalità ad un altro livello, secondo il quale esprime in alcuni casi una contrazione maggiore, una contrazione che provoca la comparsa delle rughe.

Ogni volta che ridi o sorridi per compiacere, per compromesso, in modo ironico, falso o forzato, la tua materia è determinata sia dalle apparenze sia da ciò che stai cercando di nascondere dietro di loro.

Alcuni direbbero che le rughe che hanno si intensificano con il passare degli anni, ma non è il tempo a determinarle, ma l'aumento dell'intensità dei pensieri negativi e delle emozioni che generano, nonché la dinamica più ridotta della loro energia. Se veramente il tempo è il principale responsabile per la presenza delle rughe, allora perché non tutte le persone hanno le stesse rughe alla stessa età?

Ci sono bambini che, a causa della sofferenza che hanno provato a causa del comportamento dei loro genitori, non vogliono assomigliare a loro, ma allo stesso tempo hanno anche molte paure interiori al riguardo. Focalizzando la loro attenzione su ciò che non vogliono materializzare, finiscono per vibrare esattamente su quelle frequenze che rifiutano e, di conseguenza, le loro paure diventano realtà.

La paura stessa di non somigliare a qualcuno dal punto di vista fisionomico, comportamentale, emotivo o mentale crea tensioni e disturbi nel processo di crescita e sviluppo. Ad esempio, uno che ha una paura molto forte di essere basso come i suoi genitori rallenta e limita i suoi processi di creazione in modo tale da formarsi come immaginava. Un conto è aver paura di qualcosa, a partire dalla premessa che la probabilità di manifestare quella paura è elevata, ed è ben altra cosa sapere con forza e supposizione come si vuole essere e fidarsi della propria intenzione al fine di materializzare ciò che desideri.

L'atteggiamento del vincitore è quello in cui fai il possibile per superare la tua condizione.

L'AMORE TI RINGIOVANISCE

Forse finora non hai prestato abbastanza attenzione alle cellule del tuo corpo e non sei stato in grado di percepirle per come sono realmente. Ogni cellula crea, emette e riceve onde di energia in base alla compatibilità e rappresenta la micro proiezione dell'organismo di cui fa parte.

La cellula che riesce a sperimentare più profondamente l'unità tra essa e le cellule vicine viene conservata a lungo nell'insieme di cui fa parte. Prendiamo, ad esempio, un gruppo di diverse cellule epiteliali. Se vibrano molto intensamente sulle frequenze dell'unità e oscillano in modo tale da mantenere un relativo stato di centratura, in grado di sostenere la loro evoluzione, allora mantengono il loro aspetto giovanile e sviluppano la loro vitalità, funzioni e proprietà. In contrasto con questo esempio, le cellule che vibrano intensamente sulle frequenze dell'isolamento e della sofferenza invecchiano e si disintegrano più velocemente, e l'insieme che formano che formano inizia a deformarsi e apparire incompleto.

Sono state convalidate per ogni tipo di cellula delle informazioni a carattere generale riguardanti la loro durata di vita Tutte queste informazioni riflettono solo alcune delle infinite realtà esistenti. Le cellule di chi esprime una coscienza più elevata alle altre vivono più a lungo e garantiscono un migliore funzionamento superiore dell'organismo.

Quando odi certe parti del tuo corpo, emetti dense onde di energia che dirigi alle cellule che compongono quelle aree. A poco a poco, compaiono tutti i tipi di asimmetrie di forma, colore, consistenza o persino malattia, come risultato dell'accesso e dell'espressione limitata dei codici di creazione.

Amando specialmente alcune parti del tuo corpo, generi azioni attraverso le quali esprimi cura e apprezzamento nei loro confronti ignorando le altre. Forse ignorare è meno distruttivo dell'odio, ma gli effetti sono simili, perché entrambi i sentimenti sono la conseguenza dell'espressione di troppo poco amore.

L'ignoranza assoluta significherebbe non provare nulla per qualcosa o qualcuno in particolare. Un robot può essere completamente indifferente dal punto di vista emotivo, ma mai un essere vivente! In effetti, l'ignoranza è la maschera indossata da coloro che non vogliono ammettere di amarsi ma nemmeno di amare gli altri nei cui confronti mostrano sentimenti a bassa vibrazione.

Il fatto stesso di ammirare le qualità fisiche di altre persone o esseri vuol dire regalare dalla tua energia. Quando sei ammirato, ti nutri dell'energia dei tuoi ammiratori e, implicitamente, con le informazioni creative che gli stessi ti trasmettono.

Nei momenti in cui desideri fortemente l'ammirazione di coloro che ti circondano, infatti, a un livello sottile, desideri la loro energia. Man mano che diventi consapevole di questi problemi, scegli di non affrontare situazioni in cui sprechi una quantità notevole di energia o attraverso la quale useresti l'energia degli altri.

Alla bellezza e al successo di molte delle persone

che hanno una vita pubblica e pubblicizzata, contribuiscono anche le energie che sono state e continuano ad essere concentrate su di loro dai fan che li guardano con ammirazione e rivolgono loro tante parole di apprezzamento.

Una variante in cui guardare l'esistenza conservando una maggiore quantità di energia è quella in cui vai oltre il maggior numero di attaccamenti e desideri che hai e rimani il più concentrato e distaccato possibile. In una situazione del genere, vedi la vita intorno a te esattamente così com'è e capisci che gli attributi delle forme attraverso le quali si esprime sono perfettamente naturali in correlazione con la loro *normalità*. Non significa che se non ti emozioni più, le tue emozioni si appiattiscono, anzi al contrario. La profondità dei tuoi sentimenti è al di là del significato di qualsiasi parola.

Molte persone hanno l'abitudine di prestare molta attenzione al proprio viso e di ammirarlo quotidianamente guardandosi allo specchio e trascurare altre zone del corpo che non sono così importanti. Questa pratica si traduce nella concentrazione sul loro volto di una quantità significativa di energia che crea il loro essere. Di conseguenza, le altre aree del corpo non sono più create come belle e c'è un'enorme discrepanza tra il loro viso e il resto del corpo. Invece sarebbe normale sentire come in ogni momento manifesti armonia e splendore attraverso tutti i tuoi pori senza limitarli ad un'area ben definita.

Anche se quando incontriamo altre persone il nostro viso è particolarmente guardato, ciò non significa che dobbiamo fare tutto il possibile perché solo quello sia piacevole alla nostra vista.

Tutto ciò che è forzato è meno attraente, quindi nonostante le aspettative, invece di lodi o apprezzamenti, puoi spesso ricevere critiche e rifiuto.

Se quando ammiri dall'energia, quando ti meravigli

prendi energia. È assurdo meravigliarsi della propria intelligenza e bellezza o della beatitudine di qualsiasi paesaggio. Perché dovresti essere sorpreso dall'azzurro del cielo o dall'aspetto dell'arcobaleno? Le virtù sono nella nostra essenza e ci onoriamo noi stessi nella misura in cui non ci ignoriamo più.

Solo il fatto di dire a te stesso *Come sto bene oggi!* vuol dire ammettere che non credi con tutto il tuo essere che questa realtà sia normale ogni giorno.

Ogni volta che sei sorpreso di ricordare vari dettagli, una parte di te considera che la tua *normalità* è lontana da ciò che ti accade in quei momenti. Di conseguenza, le aree cerebrali responsabili dell'atto di memorizzazione si deteriorano e progressivamente ti calibri a uno stato dell'essere in cui la tua naturalezza è sempre più definita dall'oblio. L'oblio è un'illusione come l'impotenza, l'ignoranza, la paura o la sofferenza...

Le persone che odiano il proprio corpo oppure che hanno varie malattie e dipendenze finiscono per sentirsi attaccate alle emozioni e agli stati fisici che si sono abituati a creare, tanto più che mostrano poca flessibilità. Di conseguenza, la loro energia tende a mantenere la loro configurazione, la loro evoluzione venendo quindi rallentata.

Quando ti trovi di fronte alla situazione in cui pensi di essere indifferente a certe verità e realtà, rifletti su di esse e finirai per essere consapevole di ciò che senti, in realtà, nei loro confronti.

La geometria del tuo corpo è influenzata anche dai momenti in cui ti identifichi con le persone che ti raccontano una parte dei loro problemi e delle loro sofferenze. Direttamente proporzionali all'intensità dell'identificazione sono anche i tentativi di convincerla a procedere in modo adeguato alla tua prospettiva o di farle comprendere gli aspetti che l'hanno portata al punto in cui si trova. Identificandoti semplicemente con una persona del genere, diminuisci la tua brillantezza ancora di più dato che consenti che il modo in cui viene creato il suo corpo e i suoi sentimenti lascino un segno su di te.

Probabilmente non presti attenzione alle sottigliezze che accadono in un momento simile o alle dinamiche dell'energia del tuo corpo, ma certamente non vorresti che una persona sporchi i tuoi nuovi vestiti con la vernice, sapendo che tali macchie sono molto rimovibili.

Se tu fossi più consapevole che nei momenti in cui ti identifichi con i problemi degli altri, lasciano segni visibili sul tuo corpo, allora non ti lasceresti più coinvolgere in tali situazioni.

Permettendo che il loro dolore e la loro tensione lasciano un segno su di te, può accaderti quanto segue: diventi triste, i tuoi occhi diventano più turbati, i muscoli di tutto il corpo appaiano tesi, la frequenza cardiaca e l'intensità cambiano, il tuo respiro diventa più difficile, compaiono disturbi digestivi, ti fa male la testa, ti senti appesantito e privo di energia, accumuli grasso in eccesso o dimagrisci molto. Allo stesso tempo, il tuo viso accumula densità tanto più che è molto probabile che aggrotti le sopracciglia, fare delle smorfie e cambiare espressione, che si trasformano in modo tale da esprimere a un livello grezzo ciò che sta accadendo a un livello sottile. È essenziale capire che situazioni così ripetute danneggiano il tuo corpo, quindi sarebbe consigliabile evitarle il più possibile.

Ogni volta che strilli, ti arrabbi, insulti, incolpi, entri in panico ecc., distorci la disposizione geometrica delle particelle della tua vita. Pertanto, nel tuo corpo vengono rilasciate secrezioni e ormoni le cui composizioni e azioni sono benefiche. Le reazioni da loro generate possono durare alcune ore e possono causare danni all'organismo.

Gli effetti di qualche minuto di rabbia durano molto

più a lungo dello stato del momento stesso, anche se, apparentemente, potresti dire che ti sei calmato. Persino un breve momento di manifestazione di uno stato di bassa vibrazione può avere ripercussioni rilevanti.

Quando sei arrabbiato, il cuore converte le vibrazioni del sangue in vibrazioni molto più basse, che successivamente trasmette in tutto il corpo, con ogni cellula che si relaziona ad esse in modo diverso a seconda della sua coscienza globale. Le cellule che di solito esprimono una brillantezza intensa non sono influenzate tanto come quelle che già vibrano a frequenze simili. Di conseguenza, alcune cellule invecchiano più velocemente rispetto ad altre e svolgono le loro funzioni ad un potenziale ridotto.

Nei momenti in cui ti ritrovi ad essere goffo e affrettato o ad avere un tremore nei tuoi gesti, infatti il dinamismo dei tuoi movimenti e dei processi vitali esternalizza il caos interiore.

Considerando che l'esterno e l'interno del tuo corpo sono *tutt'uno*, puoi facilmente bilanciarti regolando semplicemente il ritmo del tuo respiro in modo tale che esso diventi calmo e profondo, imitando un viso sereno e sorridente, ma addirittura gesti sicuri e fluidi.

Pertanto non puoi essere arrabbiato e allo stesso tempo mantenere una dinamica del corpo intesa come un'espressione di armonia. Sei tu a scegliere, se nei momenti di nervosismo continuare a gesticolare nervosamente, respirare velocemente e superficialmente, avere un viso accigliato e un tono alzato oppure guidare il tuo corpo ad approfondire lo stato di relax, tranquillità e pace interiore.

Il tuo corpo tende ad avere una certa postura, gesti, espressioni facciali ecc. a seconda dei tuoi desideri e bisogni, delle intenzioni che hanno coloro che ti circondano, delle sensazioni che provi, dei processi che avvengono nel tuo corpo, delle direzioni su cui presti principalmente maggior attenzione, delle attività che svolgi, del campo in cui operi, le qualità e le abilità che vuoi sviluppare.

In ogni istante, i tuoi stati interiori fanno sì che il tuo corpo si trovi in posizioni diverse, indipendentemente se dormi, gesticoli, cammini o intraprendi una serie di attività.

LA TRASFORMAZIONE È CONTINUA

Le persone che vivono insieme per molti anni arrivano ad assomigliarsi sia dal punto di vista fisico, comportamentale, intellettuale sia spirituale. Questo aspetto è meglio osservato tra i membri della famiglia, dei colleghi di lavoro, dei gruppi di amici.

Nella misura in cui si identificano con i loro genitori, i bambini prendono dai loro sistemi di valori e imitano il loro atteggiamento, le loro preoccupazioni, il modo in cui pensano, sentono, parlano, camminano e gesticolano, la postura, i tic, lo stile di abbigliamento.

I partner di coppia modellano le caratteristiche l'uno dell'altro, in modo che finiscono per armonizzarsi sempre meglio. Naturalmente, queste alchimie avvengono in una moltitudine di direzioni, alcune delle quali non sono esattamente benefiche, come nel caso in cui i partner copiano i loro vizi, dipendenze, debolezze, malattie, schemi e così via.

Il modo in cui le coppie vivono e invecchiano insieme si riflette nei loro corpi e in tutto ciò che riescono a materializzare. I partner della coppia copiano i loro programmi che influenzano la vitalità, la longevità, l'integrità mentale, fisica ed emotiva, la velocità di invecchiamento, i tratti del viso, la disposizione e la deposizione del grasso, le proprietà e le funzioni cellulari.

Alcuni coniugi finiscono per essere altrettanto in sovrappeso, rugosi, esausti, infelici ecc. Non si può dire che siano invecchiati in modo relativamente bello, perché se si fossero arricchiti spiritualmente molto di più, avrebbero creato il loro corpo e le loro esperienze in modo tale da esprimere più saggezza, vitalità, prosperità... A differenza di questi, quelli che non si limitano nell'attraversare *la vita* superficialmente, ma sperimentano la vita sempre più consapevolmente a livello multidimensionale, si perfezionano a vicenda e finiscono per acquisire una versione migliore di sé stessi.

Persino gli animali da compagnia copiano dal punto di vista fisionomico e comportamentale i loro *padroni* e viceversa. Un cane felice e curato è l'espressione del modo in cui vivono i suoi *amici*, e non i suoi *padroni*, perché il *padrone*, per sua stessa definizione, si relaziona alla Creazione con superiorità, arroganza, ignoranza ed egoismo.

Colui che fa parte di un gruppo in cui i membri sono spesso insoddisfatti, spettegolano, hanno vizi, si vittimizzano, trovano scuse e si lamentano del loro aspetto o delle difficoltà che affrontano, si identifica intensamente con la loro condizione ed è calibrato sulle frequenze delle onde di energia che gli stessi emettono. Ad un certo punto, arriva a manifestarsi in modo simile e ad imparare dalle loro abitudini e dalla loro visione sulla vita.

Anche la professione e l'ambiente di vita sono fattori importanti nel processo di modellazione del corpo. Ognuno tende a svolgere varie attività e ad avere una certa condotta, coinvolgimento, espressione facciale e gesti all'interno dei diversi gruppi di cui fa parte per essere piacevole, accettato da chi gli sta intorno, per rispettare le regole interne, per avanzare sulla scaletta gerarchica ecc. A seguito delle collaborazioni e delle interazioni che ha con i membri del gruppo, copia l'atteggia-mento e le parole che alcuni di loro usano frequentemen-te, a volte anche le loro capacità. Ad esempio, ci sono notevoli differenze tra un avvocato e un operaio edile. In un certo modo si pone, pensa, sente e si comporta l'uomo che vive nella zona residenziale di una capitale e in un altro modo è l'uomo che vive in un villaggio povero.

Molte persone vogliono staccarsi da certi capitoli della loro vita che sentono di aver completato, come rinunciare a una professione a scapito di un'altra, senza sentirsi aperti a ciò che si sono proposti di fare. Tras-curano il fatto che *la vita* è caratterizzata dal flusso e dall'espressione in modo multidimensionale e sincrono di infiniti tipi di esperienze.

Tutto ciò che ti è mai capitato rimane uno con te per sempre e, a seconda delle oscillazioni della tua coscien-za, in alcuni momenti potresti sentirti distaccato da certi argomenti, mentre in altri potresti sentirti identificato.

Quindi niente finisce mai, dato che l'esistenza non ha fine. La tua vita cambia costantemente, a seconda del-le direzioni verso cui vuoi andare, portando allo stesso tempo sia la tua crescita che il tuo declino. Qualunque cosa tu scelga, quel qualcosa non può essere assoluta-mente edificante.

Il motivo principale per cui può essere difficile per te staccarti dal lavoro che pratichi da molto tempo o che pratichi ancora è che le dinamiche della tua energia si sono adattate in modo tale da essere compatibili con le specificità delle attività che hai dovuto o che devi ancora intraprendere.

Per ogni singola attività ti programmi e ti calibri in un modo specifico, altrimenti saresti prevalentemente incompatibile con quello che dovresti fare. Ad esempio, un agente di polizia deve essere imponente, categori-co, sobrio e rigido quando la situazione la richiede; un comico deve essere carismatico, espressivo, scherzoso, inventivo, saper essere piacevole; un chirurgo deve essere preciso, meticoloso, perspicace.

I problemi sorgono quando gli aspetti negativi dei ruoli che in qualche modo sei determinato a svolgere per poter esercitare la professione finiscono per manifestarsi nella tua vita personale e familiare. Questo è un fatto che accade a persone diverse in percentuali e modi differenti, perché qualunque cosa tu faccia, perdi da un lato e vinci dall'altro. Sarebbe preferibile che le perdite non fossero maggiori dei guadagni.

Non è normale essere vigili, tesi, agitati e aggressivi nel tempo libero; prendere in giro e scherzare su quasi tutto anche quando il contesto in cui ti trovi è quello che richiede serietà; essere paranoici all'idea che i tuoi figli possano sviluppare qualche malattia particolare o abbiano microbi sulle mani ecc.

Ciò che rende alcune persone soddisfatte di ciò che fanno, altri lo trovano difficile o sentono che non si adatterebbero a un ruolo del genere. È essenziale sentire quali ruoli ti si addicono meglio, altrimenti non saresti in grado di affrontarli. Ad esempio, molte persone hanno il potenziale per diventare genitori, ma solo pochi fanno questo passo quando si sentono veramente pronti.

Per poter interpretare ruoli diversi in modo tale da non dover soffrire ad altri livelli, è importante prestare attenzione a ciò che sta accadendo dentro di te e a tutte le persone con cui entri in contatto.

Essendo tutti *uno*, è naturale poter percepire i sentimenti degli altri, ma non è normale credere che ciò che provano sia uguale a ciò che provi tu. Ad esempio, potresti dover comunicare con una persona molto stressata e anche se inizialmente eri rilassato e in relativa armonia, improvvisamente inizi a sentirti nervoso, impaziente e recalcitrante. Se percepissi lo stress delle altre persone in maniera distaccata, non entreresti in stati da cui è difficile riprendersi, ma manterresti un relativo equilibrio.

Una persona flessibile e attenta a ciò che sta accadendo al suo essere non rimane fissata a lungo nello stesso stato.

LO STATO DI MEDITAZIONE

Nei momenti di beatitudine e di contemplazione, il corpo tende ad assumere una posizione specifica e il viso ad esprimere serenità e appagamento.

Non devi sforzarti a meditare solo in una certa posizione, che a un certo punto finisce per diventare scomoda per te, solo perché è considerata da alcuni la più vantaggiosa.

Nelle condizioni in cui nella vita di tutti i giorni non sei sufficientemente concentrato e ti arrabbi facilmente, quando vuoi entrare nello stato di meditazione ti comporti in modo simile e ti senti disturbato da ogni possibile fattore esterno come ad esempio il ronzio di una mosca, l'abbaiare del cane, il cinguettio degli uccelli, la voce di altre persone. Dipende da te scegliere o meno di mantenere l'armonia e la concentrazione.

Con la percezione secondo cui sei stato interrotto e disturbato dallo stato di meditazione, il tuo corpo cambia posizione, si intensifica il ritmo del respiro e del battito cardiaco, i pensieri aumentano, viene interrotto l'accesso alle informazioni e alle risposte alle domande.

In altre parole, i momenti autentici in cui ti senti più profondamente uno con la Creazione ti accadono spontaneamente e facilmente senza programmarli.

La chiarezza delle informazioni espresse quando capsici la tua essenza è chiaramente superiore alle esperienze che cerchi di indurre forzatamente dal desiderio di sentirti più spirituale o speciale. Quindi la meditazione ti capita sempre più spesso fino a quando diventa il tuo stato naturale dell'essere.

LE SCELTE MODELLANO IL TUO ESSERE

Durante la tua vita, probabilmente ti è capitato di avere varie discussioni con certe persone, a seguito delle quali queste ultime abbiano cercato di convincerti a fare determinate scelte in base ai loro bisogni, interessi, ambizioni, desideri. A volte sono riusciti a farti pensare e sentirti simile a loro perché avevano un campo energetico dominante, erano più fiduciosi nei propri punti di forza e vibravano duramente per materializzare ciò che volevano, mentre tu avevi un campo energetico debole, ti abbandonavi all'ingenuità, all'ignoranza e mancanza di fiducia.

Ogni volta che mostri esitazione e ti senti insicuro, indeciso e disperso in una moltitudine di direzioni, c'è una probabilità relativamente elevata che una persona che concentra la sua energia principalmente sui suoi interessi ti modella e ti spinge a fare delle scelte basate sui suoi desideri.

Essendo facilmente manipolabile, sei influenzato qui e li dalle onde energetiche che sono rivolte su di te, e la tua configurazione energetica è calibrata sulla geometria della persona in questione, in modo tale che tu ti trovi su lunghezze d'onda simili alle scelte che quella persona vorrebbe che tu facessi. Queste scelte si trovano già dentro di te insieme ad infinite altre possibili scelte di tutte le altre forme di vita esistenti, dato che al tuo livello viene proiettata l'intera Creazione. Allo stesso tempo, siamo tutti interconnessi in quanto stiamo diventando costantemente tutt'uno con gli elementi dell'ambiente, che si trova da sempre in un circuito cosmico all'interno del quale partecipa alla creazione di ogni forma di vita.

Nel momento in cui interagisci faccia a faccia con una certa persona, vi è un continuo scambio di diverse forme di energia, sia sottili che grossolane. Quindi, alcuni degli elementi che ti compongono finiscono per contenerla e viceversa. Naturalmente, questi elementi hanno una loro coscienza, contengono le informazioni di tutto ciò che la persona sente, pensa e intende e hanno influenza su di te in diverse percentuali e modi.

Per comprendere meglio questa situazione, immagina la proiezione olografica del tuo corpo nella variante energetica, essendo composto da una moltitudine di particelle di vita di diversa luminosità che si trovano in un processo permanente di creazione. Allo stesso tempo, con ogni scelta che fai, queste particelle cambiano sia la loro disposizione che la loro luminosità. Man mano che le tue scelte contribuiscono alla tua perfezione, crei più luce, ma se ti fanno decadere, la tua luce svanisce nel suo insieme secondo la coscienza di ogni parte di te. Quando qualcuno ti fa scegliere in base ai suoi interessi, inizi a vibrare più intensamente in quelle direzioni e a calibrarti sul livello di brillantezza che quelle scelte comportano.

Non devi necessariamente avere qualcuno di fronte a te che vuole che tu faccia ciò che gli conviene di più. Ovunque sia, indipendentemente dalla distanza, per il semplice fatto che si connette a te attraverso pensieri ed emozioni, ti trasmette oltre la forma, il tempo e lo spazio le informazioni in base alle quali agisci.

Essendo indeciso e avendo alcune debolezze, consenti agli altri di scegliere per te nella misura in cui acconsenti ciò che si desidera da te. Quindi, partecipi di più alla materializzazione dei loro desideri e meno ai tuoi. È come se lo scambio di onde di energia ed elementi costitutivi tra emettitore e ricevitore funzionasse come antenne o satelliti attraverso i quali le informazioni vengono ricevute, decodificate e trasmesse. Ad esempio, supponiamo che qualcuno voglia costruire una casa e inclina verso una casa a un piano, ma non è così sicuro della sua scelta. Di conseguenza, chiede al suo migliore amico come procedere e costui gli consiglia di costruirla su un unico livello e gli offre argomenti a riguardo. Sebbene questo consiglio sia completamente l'opposto del modo in cui inizialmente sentiva di procedere, alla fine finisce per essere influenzato e ignorare i suoi sentimenti. Dopo aver costruito la sua casa su un unico livello, non riesce a decidere di che colore dipingerla all'esterno e che tipo di porte scegliere, e per questo chiede consiglio alla sua ragazza. Gli viene suggerito di scegliere l'arancio e le porte in quercia. Successivamente non riesce a decidere se sposarsi o meno, se avere due o più figli, se viaggiare o meno per il mondo, se riorientarsi professionalmente e seguire la propria passione o compiacersi nel lavorare una vita in un campo in cui non sente più suo...

Riflettendo sull'esempio precedente, puoi capire che una persona del genere costruisce la sua vita secondo le scelte degli altri, non essendo l'autore principale delle proprie esperienze. Agendo in base al livello di conoscenza, comprensione e sensazione che gli altri hanno raggiunto, ovviamente non può essere veramente soddisfatta della vita che ha.

Non capire che è sbagliato chiedere consigli agli altri fino a quando presti attenzione ai tuoi sentimenti e intuisci più chiaramente se il consiglio che ricevi piace o meno al tuo essere.

È importante sentire con chi consultarti. Una persona che esprime una coscienza superiore e che ha una visione panoramica può aiutarti ad ampliare i tuoi orizzonti, prospettive e conoscenze e indirizzarti verso percorsi coerenti con la brillantezza che esprimi. Invece, quelli che guardano ancora superficialmente gli eventi della loro vita possono distoglierti dal tuo percorso e farti più male che bene.

Quando sei indeciso su una scelta e ricevi consigli da una persona che anche lei, a sua volta è spesso indecisa, il tuo senso di dubbio si amplifica e sembra che tu non sappia più in che direzione andare. Invece, se quando hai un'idea ti concentri principalmente sulla sua realizzazione e sei coerente e fiducioso, allora quell'idea fiorirà e darà i suoi frutti sotto forma di un capolavoro. Questo tipo di comportamento, attraverso il quale permetti agli altri di scegliere per te e di mettere al primo posto le loro prospettive, alimenta le tue incertezze che ti fanno generare una serie di sentimenti contraddittori e che cambiano.

Nel caso in cui ti trovi nella situazione di prendere una decisione, ma non esprimi abbastanza armonia, determinazione e chiarezza, puoi sentire, allo stesso tempo, diversi stati divergenti causati dal fatto che le particelle di vita che ti creano si manifestano, allo stesso tempo, con intensità differenti.

Il processo decisionale è chiaro, facile e veloce quando agisci da uno stato elevato, in cui i tuoi sentimenti e il tuo pensiero sono su lunghezze d'onda simili e le particelle di vita che ti compongono vibrano in gran parte all'unisono.

Ogni persona è indecisa in percentuali diverse, a seconda dell'argomento a cui si riferisce. L'indecisione non è solo negativa, ma altresì positiva. Persino nei momenti di incertezza, immagini o intuisci innumerevoli aspetti che potresti affrontare con una sola scelta possibile. Mettendo in bilancia una moltitudine di situazioni in cui potresti trovarti, arrivi a capire quali sono le conseguenze o i benefici che si verificano dopo ogni scelta, a intuire cosa evitare e in quale direzione andare.

Pure lo stato di centratura ha una dimensione distruttiva, nel senso che può trasformarsi in fissismo nelle condizioni in cui viene portato all'estremo. Un aspetto negativo del pensiero fissista è che restringi i tuoi orizzonti di conoscenza e ti privi di essere e di avere di più.

In natura, niente è perfettamente statico. Ciascun soffio di vento o ogni raffica fa sì che tutte le forme di vita trovino un livello superiore di equilibrio. Può capitare che a volte si sia indecisi e caotici e successivamente si faccia il salto di qualità a un livello più alto di determinazione e centratura.

STAMPE GEOMETRICHE

Guardando la Creazione nel suo insieme, puoi facilmente vedere che ci sono motivi geometrici che puoi ritrovare ovunque.

La forma a spirale è visibile nel caso delle galassie, cicloni, tornado, conchiglie, lumache con conchiglia, ragnatele, foglie di felce ancora non aperte, pigne, disposizione dei petali di alcune specie di fiori, corna d'ariete, coclea al livello dell'orecchio interno delle persone, DNA, capelli mossi, arterie a spirale uterina e così via.

La disposizione ramificata dei bronchi e del sistema vascolare che nutre la placenta è simile alla modalità in cui si configura la chioma di un albero o la radice di alcune piante.

La disposizione delle cellule nervose che compongono gli emisferi cerebrali è simile al modo in cui è organizzata la rete galattica dell'Universo, così che, metaforicamente parlando, ogni neurone può essere paragonato a una stella. Sta a te scegliere di intensificare la luminosità del maggior numero possibile di queste *stelle*, realizzare più connessioni tra di loro e crearne altre nuove.

Viste al microscopio, le cellule possono essere: stellate, fusiformi, ellissoidali, bastoncelli, cubiche, parallelepipede ecc.

Visti macroscopicamente, alcuni organi hanno la forma simile ad alcuni vegetali: gli emisferi cerebrali possono essere paragonati a una noce; il cuore è relativamente simile a un pomodoro; il rene ha la forma di un fagiolo; l'iride umana assomiglia a una carota a sezione trasversale; la ghiandola mammaria sembra una sezione di un pompelmo; il lobo dell'orecchio è come la sezione trasversale di un fungo; il pancreas ha una forma simile alla patata dolce e gli esempi possono continuare…

LA GEOMETRIA DEI CENTRI ENERGETICI

I *principali* centri energetici del corpo umano sono rappresentati sotto forma di più disegni la cui complessità aumenta dalla base della colonna vertebrale alla sommità della testa. Queste rappresentazioni possono portare alla percezione che alcuni centri energetici siano più importanti degli altri. Dire che gli occhi sono sopra i piedi o che i centri energetici situati a livello delle mani valgono meno dei centri della zona pelvica, è semplicemente assurdo. Tutto ciò che ti compone è unico e ha il suo significato.

Spinti dal desiderio di esprimere una gamma di abilità che dovrebbero essere correlate specialmente con i centri energetici a livello della testa, molti tendono a concentrare la loro attenzione ed energia sulla loro elevazione. Vengono create cosi, notevoli discrepanze tra il modo in cui funzionano le diverse regioni del corpo, soprattutto perché non si capisce che ogni centro energetico è l'espressione della brillantezza dell'insieme di energie che ti compongono e ti creano costantemente.

È preferibile prestare attenzione e amore a tutto il tuo essere, e non solo ad alcune aree con predilezione. Così, i vostri centri energetici aumentano più armoniosamente in brillantezza, senza troppe differenze tra loro.

Macro è proiettato in micro e viceversa, il che significa che vi è la proiezione energetica di tutti i tuoi centri energetici a livello di ciascuno di essi. Quindi, tutto è proiettato in tutto.

Non sei fatto di regioni isolate l'una dall'altra, così come i tuoi organi non lavorano separatamente, ma c'è un flusso perfetto tra le diverse forme di energia che ti compongono. Nessun centro energetico corrisponde solo a una certa regione perfetta circoscritta.

Non esiste uno schema geometrico specifico che i vostri centri energetici *debbano* raggiungere, poiché la configurazione di qualsiasi particella della vita è in continua evoluzione. Finché scegli di crescere da più punti di vista possibile, la geometria di tutto ciò che rappresenti è migliorata.

L'AMBIENTE TI RISPECCHIA

Ogni immagine è composta da un'infinità di particelle di vita. Più l'immagine che stai guardando corrisponde ad alcune dimensioni elevate, più acquisisci armonia, essendo influenzato dalla dinamica, dalla simmetria e dalle frequenze dei colori vibranti che decodifichi. Quindi, raggiungi un livello sottile per creare ed emanare più vita, poiché il tuo essere si nutre, a seconda della compatibilità, con le energie circostanti che sperimenta attraverso i sensi.

La semplice contemplazione di un paesaggio ricco di freschezza e vitalità influenza positivamente la tua geometria, visto che esalta la tua immaginazione, creatività, equilibrio, relax ecc. e migliora l'intero processo che si svolge nell'organismo.

Il quadro naturale e l'ambiente (casa, ufficio, città) sono un'espressione di ciò che manifesta la coscienza collettiva degli esseri che li abitano. Colui che è l'incarnazione di un elevato stato di armonia ha un maggiore apprezzamento per la natura, ha una casa pulita e accogliente, ha un aspetto fisico piacevole e pulito, offre equilibrio a coloro che lo circondano e così via.

Più sei ordinato, vitale e prospero, più sei attratto dai luoghi, dalle persone e dalle esperienze che ti danno ciò che già esprimi e sei, l'esterno essendo una proiezione di ciò che si trova dentro di te e viceversa.

• LA MUSICALITÀ DELLA CREAZIONE

IL CORPO, UN INSIEME DI SINFONIE

La musica si crea e si manifesta in un'infinità di forme e modi, anche al di là di qualsiasi strumento musicale. Tu stesso puoi essere un capolavoro musicale in grado di imprimere armonia nell'ambiente circostante.

Ogni volta che le particelle di vita che compongono il tuo corpo vibrano simultaneamente, nella maggior parte su frequenze più alte, la tua musicalità si perfeziona e può essere percepita come una *carezza* da tutti coloro con cui interagisci gli stesso diventando a loro volta più melodiosi. Mentre, fino a quando ci sono discrepanze maggiori tra le frequenze che crei, più sei *rumoroso* in generale, sai cosa vuoi veramente, diventi più indeciso, recalcitrante ed emotivamente instabile, ti arrabbi improvvisamente e niente ti a genio, alzi la voce spesso, la dinamica dei processi vitali del tuo corpo diventa più caotica ecc. Tutto ciò fa sì che la maggior parte delle persone della tua vita tendano a mantenere la distanza da te e non essere sufficientemente aperti ai tuoi bisogni e a ciò che vuoi trasmettere loro.

Nei momenti di beatitudine e di pace interiore, il tuo corpo può essere paragonato a una sinfonia mentre nei momenti di agitazione e nervosismo può essere paragonato al rumore caratteristico dei mercati.

Quando generi semplicemente onde alte (del tipo theta o anche al di là di qualsiasi altra onda conosciuta o denominata fino ad oggi), sei molto più consapevole di tutto ciò che sta accadendo. Puoi sentire, ascoltare la tua musica interiore e accedere all'udito onde di energia molto più sottili.

Ci sono persone che riescono ad accedere ai piani superiori con facilità e a vivere l'esperienza della percezione di una musica considerata *divina*. Questa *musica divina* è il risultato dei suoni prodotti dalla risonanza delle forme di *vita* di quei piani. Per accedere ai codici e alle informazioni di tali piani, è necessario che le onde che emetti si trovino su frequenze simili alle onde che desideri ricevere, oltre ad avere un livello di consapevolezza che in grado di sostenere la tua apertura sensoriale necessaria.

I suoni creati dalle corde vocali sono un'espressione della coscienza globale manifestata dall'organismo che li produce, dall'ambiente in cui si esprime, nonché dagli esseri che partecipano al processo di comunicazione.

La tua voce ha un timbro vocale specifico, ma anche un'espressività speciale, a seconda dei tuoi sentimenti interiori, il contesto in cui ti trovi, il numero di persone a cui ti rivolgi, le dimensioni dello spazio in cui ti esprimi, la temperatura dell'ambiente, la composizione dell'aria, i fenomeni meteorologici nell'atmosfera. Ad esempio, la tua voce può trasmettere tensione quando sei in presenza di qualcuno che ti domina e ti fa sentire a disagio, oppure può trasmettere rilassamento quando sei in compagnia dei tuoi cari. Se ti rivolgi al tuo partner, la tua voce esprime amore e calore, ma se parli con qualcuno che non conosci o che non ti piace, tende ad essere più fredda e più distante.

Chi ha un timbro vocale la cui melodia non è affatto piacevole è molto probabile che sia abituato a pronunciare parole accompagnate da emozioni e pensieri a bassa frequenza (come accade quando qualcuno critica, offende, ignora, mente) reprimere le proprie parole, parlare quando non dovrebbe farlo oppure più di quanto dovrebbe.

Nel momento in cui la vibrazione delle corde vocali diminuisce così tanto da non poter più produrre suoni piacevoli, caldi e armoniosi, la persona in questione inizia a parlare con voce rauca, oppure acuta, o con ogni sorta di inflessioni. Naturalmente, una persona del genere non può essere una compagnia molto piacevole, soprattutto perché qualunque cosa ti possa trasmettere verbalmente tende a essere fastidiosa. Pertanto, più sei equilibrato e *musicale*, più sei ricettivo ai messaggi che invii.

Quando giudichi gli altri e sei furioso, arrabbiato o dispettoso, l'energia dei suoni che emetti influenza negativamente non solo la persona a cui ti rivolgi o quelli di cui parli, ma anche il proprio corpo. Di conseguenza: la saliva diventa più acida, come te, in senso figurato; aumenta la densità della saliva, che calibra alla sua dimensione energetica tutto ciò che viene introdotto nella cavità orale; accedi ed esprimi codici di creazione limitati ecc.

Il processo di crescita dei capelli, la produzione di

vari fluidi, la trasmissione degli impulsi nervosi oppure la motilità delle retine creano la propria musica.

Ogni follicolo pilifero produce una musica più o meno melodiosa i capelli che genera avendo caratteristiche specifiche, come ad esempio: il colore, la forma, lo spessore, la resistenza, la consistenza oppure la longevità. Pertanto, i codici di creazione e le vibrazioni espresse dai follicoli piliferi rendono i capelli ad essere a spirale o lisci, bianchi o biondi, ruvidi o vellutati, resistenti o friabili, lucidi o opachi. Metaforicamente parlando, ogni follicolo pilifero ha il suo canto, a seconda della *brillantezza* del corpo a cui appartiene.

Certo che i capelli fitti, intensamente colorati, luminosi, setosi, forti e con volume, rappresentano l'espressione dell'alta coscienza dei follicoli che producono i capelli le cui proprietà e funzioni sono molto più elevate. Naturalmente, nel piano energetico sottile, la musicalità di una tale regione è speciale.

Guardando la Creazione ad una scala più ampia, puoi dire che ogni essere è come un verso di una canzone senza inizio e senza fine.

SEI COME UNO STRUMENTO MUSICALE

Ogni essere può essere paragonato a uno strumento musicale in cui tutte le altre forme di vita suonano sottilmente al di là del tocco.

Gli infiniti tipi di suoni che vengono costantemente creati vibrano attraverso di te e influenzano la tua purezza, salute, genialità, buon umore, calma ecc.

Gli strumenti musicali differiscono tra di loro come valore, a seconda di una moltitudine di caratteristiche. La stessa sonata si sente molto più piacevolmente su un pianoforte realizzato di un alto stato di presenza, il quale ha un immenso valore materiale, che su un pianoforte qualsiasi.

Così come il valore del pianoforte è influenzato dalla qualità dei materiali con cui è realizzato e dal valore che gli viene dato dal suo creatore e dall'artista quando diventa tutt'uno con esso, si può dire che al tuo valore contribuisci anche tu, come essenza divina, così come l'insieme delle forme di vita con cui crei te stesso, ti circondi e entri in armonia.

La salute manifestata dalle cellule lungo le quali i suoni esterni ed interni si propagano e risuonano è particolarmente importante. A seconda della tua brillantezza, i suoni che ricevi sono in percentuali diverse o più chiari o più distorti e possono influire su di te in modo prevalentemente costruttivo o distruttivo.

Nessun suono rimane lo stesso quando si fonde in modo univoco con ogni particella di vita e ogni cellula dentro di te, così come nemmeno tu sei più lo stesso dopo questa fusione.

I suoni che emetti sono influenzati dal livello di perfezione delle particelle che ti compongono, nonché degli organi e delle cavità che attraversano e al livello delle quali entrano in armonia. Ad esempio, le persone che hanno determinate malattie del cavo orale, quando inalano attraverso la bocca, introducono nei polmoni, e da lì in tutto il corpo, molecole gassose la cui energia è diminuita in percentuali e modi diversi. Allo stesso tempo, i gas che espirano e che poi si fondono con altre forme di energia e le parole che rivolgono agli altri hanno un potere creativo diminuito e, in alcuni punti, sono persino distruttivi, a differenza di un uomo più sano. Come abbiamo già precisato, la salute è un dovere morale non solo nei confronti di te stesso, ma anche nei confronti di tutti gli esseri esistenti indipendentemente se ti sono o meno vicine oppure care.

L'insieme delle onde di energia che produci momento per momento può essere calibrato a dimensioni superiori non solo tramite colori, odori, tatto, luce, fluidi, ma anche da suoni, che rappresentano alcune delle forme di energia di cui ti nutri.

Visto che ci creiamo l'un l'altro, quando ascolti il modo beato e vibrante in cui canta una persona la cui coscienza è superiore o quando comunichi con essa, non c'è niente di sbagliato nel dare direzione alle energie che essa crea. Nello specifico, puoi scegliere consapevolmente come costruire queste energie e quali parti di te influenzare in particolare. A prima vista potresti dire che stai usando quella persona, ma in realtà non lo stai privando di nulla, perché tutto ciò che dà alla Creazione per il semplice fatto di *essere* è a disponibile a tutti gli esseri che si aprono alla sua luce.

Potresti dire di trarre vantaggio dai raggi del sole che inondano il pianeta di luce e rendono possibile la vita? Quello che fai è goderti il modo divino in cui questo corpo cosmico si dona attraverso la sua semplice esistenza. D'altra parte, se cerchi di usare le persone nella tua vita in un modo privo di etica, stai facendo del male sia a loro che a te, soprattutto visto che la loro proiezione energetica e, implicitamente, informativa, si ritrova anche dentro di te.

È utile dare importanza, apprezzamento e gratitudine a ogni suono ad alta frequenza generato dalle infinite *sorgenti* intorno a te e stabilire alcune chiare intenzioni per quanto riguarda le direzioni in cui queste possano influire la tua evoluzione.

Puoi relazionarti in modo noioso e inespressivo a un raggio di sole, senza capire che si fonde con te e ti riempie di luce, nel qual caso limiti il modo divino in cui può crearti, oppure puoi guardare con amore e gratitudine come una forma di *vita* che contribuisce alla tua elevazione.

Molti praticano la meditazione con l'aiuto dei suoni per diventare più equilibrati e per curare le loro *ferite interiori*. Non basta intonare certe parole, come Uomo o Ramo, soprattutto perché attraverso la loro ripetizione ti ritrovi nella situazione di annoiarti o di pronunciarle in modo meccanico, e allora tutto quello che fai non assume troppo valore.

Inoltre, ciascuna parola pronunciata ha il valore che le conferisci, secondo la coscienza che hai. Ad esempio, se dici a una persona di ripetere la parola Uomo, ma senza che questo significhi nulla per lui, non si sentirà meglio o più cosciente in alcun modo. Quindi, non è necessario dire Uomo per essere più equilibrato, ma puoi diventare più armonioso se ti poni l'intenzione che ogni parola che pronunci contribuisca alla tua ascensione. Perché limitarti ad una parola?

Puoi fare una meditazione su ogni momento della tua vita, su ciascun suono e su ogni esperienza sensoriale che hai. Potresti impostare la tua intenzione per ciascun suono che crei per essere curativo e rivitalizzante sia per te che per l'intera Creazione.

LA DISONANZA DELLE ZONE MALATE

A livello dell'organismo, vengono generati sia suoni che possono essere facilmente percepibili, come il battito cardiaco, sia suoni sottili, come quelli emessi da ogni cellula e da ogni particella di vita, che di solito sono impercettibili. Ad esempio, a livello della pelle, possiamo ritrovare una miscela di sinfonie che scorrono l'una dall'altra, perché non si ritrovano gli stessi tipi di frequenze su tutta la superficie del corpo.

La coscienza delle cellule epiteliali viene determinata inoltre dalla coscienza delle cellule che compongono i diversi tipi di muscoli, legamenti, ossa, organi, ghiandole ecc., che si trovano nella profondità della regione che ricoprono. In altre parole, pure la pelle sopra una caviglia lussata o un organo malato soffre e crea una musica rumorosa.

Nell'organismo possiamo trovare un'alternanza di zone sane e musicali e zone malate rumorose che fanno una nota discordante. Ad esempio, l'energia di un dente cariato emette suoni sottili che non sono esattamente melodiosi rispetto a quelli di un dente sano. Man mano che la conoscenza delle cellule e delle particelle di vita della componente del dente diminuisce, i rumori sottili si intensificano e, da un punto di vista fisico, la carie aumentano progressivamente, la sensibilità e il dolore diventano, a un certo punto, insopportabili.

Il mal di denti rappresenta un sintomo attraverso il quale vieni avvertito che è necessario diventare più consapevoli del modo in cui comunichi, ma pure dell'attenzione e delle cure che il proprio corpo ha bisogno di ricevere. Ad esempio, la vibrazione complessiva del cavo orale e dei denti può essere ridotta dal fumo, dal consumo di bevande e cibi il cui pH è acido e la cui densità energetica è elevata; dalle parole pronunciate con odio, rabbia o invidia; dalle parole che esprimono sottovalutazione del prossimo, ma anche della propria persona; dai pettegolezzi; dai litigi; dagli insulti; dai problemi di salute delle altre parti che compongono il corpo e così via. A causa della mancanza di conoscenza, molti ignorano questo avvertimento del proprio corpo e continuano a comportarsi come prima, o addirittura peggio, e successivamente si lamentano delle condizioni dei loro denti.

I suoni emessi dalle corde vocali risuonano in tutto il corpo, ma soprattutto nella zona del collo, del cavo orale e della parte superiore del torace, con un effetto modellante più intenso su di esse.

Alcuni dei fattori che imprimono un ritmo caotico alle cellule coinvolte nell'atto della parola, lungo le quali i suoni vengono trasmessi e risuonano, sono le parole represse o non dette al momento giusto; l'occultamento illecito di determinate informazioni; le lacrime soffocate che provocano un nodo alla gola; la mancanza di appropriazione nel riconoscere gli errori; il coinvolgimento esagerato nella vita di coloro con cui ti identifichi, nel senso di ripetuti tentativi di spiegare loro alcuni aspetti ecc. L'atto creativo di queste cellule viene disturbato, la loro luminosità e immunità sono diminuite, la loro densità e vulnerabilità aumentano sotto l'azione di tutti i tipi di fattori dannosi e sviluppano alcune lesioni o malattie, come: afte, tonsilliti, laringiti, ipotiroidismo.

Anche se non pronunci ad alta voce ciò che pensi o ciò che vuoi trasmettere, la tua energia può emettere sottilmente informazioni con ancora maggiore chiarezza. Essendo tutti uno e proiettandoci l'uno nell'altro, è ovvio che ogni essere ha la capacità di ricevere, decodificare, registrare, elaborare e trasmettere a modo suo le informazioni delle infinite onde di energia emesse ovunque. Tuttavia, ci vuole uno stato di presenza elevato per essere in grado di percepire gli altri al di là delle parole.

Nella situazione in cui lo stato di salute delle corde vocali è precaria a causa del fumo, della malattia o di un modo superficiale di essere, allora i suoni che producono possono influenzare negativamente chi li riceve. Comprendendo che il modo in cui ti comporti contribuisce alla creazione o alla distruzione di coloro che ti circondano, consenti semplicemente a te stesso di diventare una versione più sana e brillante di te stesso.

Molti desiderano che il mondo in cui vivono sia più bello, ma la realtà esteriore è l'espressione del mondo interiore di ognuno di noi.

Chi è flessibile capisce che nessuna trasformazione interiore può essere complicata, troppo difficile o impossibile e viene migliorata ogni momento che passa. Allo stesso tempo, anche se ha un momento in cui esprime un leggero turbamento interiore, riesce a ripristinare la sua vibrazione globale con maggiore facilità e a prendere decisioni in linea con la sua crescita.

LA MUSICA DELLA TUA REALTÀ

Hai mai provato a prestare attenzione a cosa senti con riferimento alla musica che ascolti e in base a questa di scegliere ciò che è meglio per la tua evoluzione?

Ogni brano musicale è un insieme di onde energetiche che possono essere, più o meno, benefiche a seconda di come ti relazioni ad esse. Mentre ascolti e mormori una certa canzone, le informazioni e le frequenze che trasmette si manifestano sempre di più attraverso di te e influenzano i tuoi sentimenti. In altre parole, ti fondi energicamente non solo con il partner di coppia, con i paesaggi che sorprendi, con il profumo dei fiori, con i raggi del sole, con il cibo che scegli di mangiare, ma anche con la musica che ascolti.

Le canzoni sono l'espressione della musicalità interiore di chi le interpreta e di chi le compone. Durante l'intero atto di creazione, le loro energie esprimono una certa dinamica in base alla quale vengono generati i loro sentimenti interiori.

Una canzone che fa emergere la tua tristezza e le ferite interiori, ti sconvolge e ti fa rivivere momenti passati in cui hai sofferto, nasce da uno stato simile, ma non può essere considerata in modo assolutamente negativo, perché mostra i tuoi sentimenti che ancora provi verso alcune persone ed esperienze. Invece, una canzone che risveglia in te emozioni, pensieri e grandi intenzioni, che ti riempie di gioia ed energia, è stata creata da persone che hanno sentimenti molto più profondi e complessi. Dipende da te che tipo di vibrazioni e informazioni scegli per nutrire il tuo essere.

Ogni ambiente naturale esprime una moltitudine di sinfonie in continua evoluzione. Puoi scegliere di ascoltare la musica della natura i cui creatori sono le particelle di vita e gli elementi componenti che formano: l'acqua, l'aria, le pietre, i rami, le foglie, gli uccelli ecc., la musica prodotta da vari strumenti musicali e da voci oppure puoi sorprendere la tua musica interiore in un profondo stato di meditazione. In un momento simile, potresti percepire la sottile musicalità delle energie che vibrano intorno a te.

La musica interiore si perfeziona man mano che la dinamica delle particelle di vita che la compongono diventa sempre più armoniosa e il corpo fisico esprime grazia e geometria a livelli sempre più alti.

*Ogni parola assume il valore
che le conferisci secondo la tua
coscienza!*

Capitolo 3

IL POTERE CREATIVO DELLE PAROLE

Il potenziale di tutto ciò che esiste è infinito. Pertanto, a qualunque livello di ascensione ti trovi, continui ad esprimere programmi diversi e, allo stesso tempo, con la tua evoluzione, le credenze secondo le quali crei la tua vita si trasformano. Non c'è niente di sbagliato nel manifestare tutti i tipi di schemi, ma è importante non limitarsi alla stagnazione solo a un certo livello.

Dire di essere consapevole della propria essenza significa non sottomettersi a nessuna programmazione non è corretto, perché l'esistenza include anche queste. Ad esempio, per funzionare in parametri ottimali, il tuo corpo viene creato in base alle impostazioni inserite nel DNA e ai codici di creazione con cui è compatibile. Indipendentemente dalle dimensioni energetiche sulle cui frequenze vibrano le cellule che ti compongono, ognuna di esse esercita le sue funzioni e delinea le sue proprietà attorno ai programmi.

I codici creativi contengono informazioni infinite, ma la tua coscienza esprime solo quelle con il cui livello di brillantezza entrano in armonia. Quindi, il tuo corpo è tanto più vitale in quanto esprime più informazioni contenute nei codici creativi esistenti. Questa informazione diventa più complessa con ogni esperienza attraverso la quale arrivi a sentire e a comprendere in profondità l'unità.

Le affermazioni con carattere positivo possono aiutare a riprogrammare le informazioni su cui funziona il tuo corpo. È essenziale prestare attenzione ai significati che attribuisci a tutte le sensazioni alte che invochi e le quali frequenze intendi calibrarti.

Quando dici che *Sono amore* o *Sono equilibrio*, senti che c'è infinito oltre ciò che hai mai provato e sperimentato e anche più di quanto pensi significhino quelle parole. L'amore che provi e abbracci quando dici che *Sono amore* è quello con le cui frequenze, codici e informazioni programmi il tuo corpo.

Puoi ripetere meccanicamente certe affermazioni positive decine di volte, ma se non ti permetti di viverle profondamente e se non ti senti così libero di vibrare intensamente secondo loro, le dici invano.

Il potere di alchimia e di modellazione che le dichiarazioni hanno supera quello che si può immaginare colui che si concentra soltanto su ciò che pensa sia grossolano e palpabile.

È importante gestire i tuoi stati interiori, riflettere su ciò che vuoi comunicare e porsi queste domande:

- ✓ È meglio tacere o parlare?
- ✓ È il momento giusto per iniziare questo argomento o aspetto qualche minuto in più finché non viene creato il contesto giusto e diventa più ricettivo?
- ✓ Che impatto hanno le mie parole sulla persona a cui mi rivolgo?
- ✓ Come reagirà a ciò che devo comunicargli?
- ✓ Sarà abbastanza aperto al mio messaggio?

✓ Mi piacerebbe ricevere simili insulti o osservazioni con lo stesso tono, con lo stesso atteggiamento e con una carica di energia simile?

✓ Se mi confido, sarà forse la persona giusta per essere comprensiva, saggia e degna di fiducia?

Le parole che ci diciamo agiscono oltre la forma, il tempo e lo spazio e ci influenzano nella misura della compatibilità, degli attaccamenti e delle debolezze che esprimiamo.

Ogni affermazione ha il potere di creare o di distruggere, essendo sostenuta da una dinamica propria dei processi psichici, emotivi, biologici, chimici ecc., che si manifesta al livello dell'organismo. Più sei pieno di vitalità, più le informazioni che trasmetti vengono recepite più facilmente ed hanno un effetto più intenso.

Gran parte degli anziani, così come dei malati cronici, hanno una vitalità notevolmente ridotta, di conseguenza i messaggi che trasmettono non hanno più sufficiente potere per risvegliare sentimenti intensi dentro chi ascolta i loro consigli o le loro storia di vita. È come se parlassero a vuoto, non essendo più così vivi ed espressivi come lo erano una volta.

Ogni affermazione risveglia un certo atteggiamento, postura, espressione facciale, dizione, chiarezza ecc., sia in chi la emette che in chi la riceve.

Il modo in cui guardi il tuo prossimo ha un notevole effetto modellante e può diventare il modo in cui quest'ultimo arriva a relazionarsi con sé stesso, con coloro che ti circondano e con te.

Le affermazioni che pronunci su te stesso intorno a chi ti circonda possono essere considerate, metaforicamente parlando, il tuo biglietto da visita. Attraverso le parole con cui ti descrivi più o meno vicino alla verità, imprimi a chi ti ascolta le informazioni che secondo te ti caratterizzano. Quindi, contribuisci sottilmente alla delimitazione della loro opinione su di te. Ad esempio, se qualcuno ti chiede *Cosa stai facendo?* e tu inizi a lamentarti, potresti essere percepito sia come una persona incapace di assumersi la responsabilità, che spesso attrae esperienze negative e non valorizza la sua vita, sia come una persona che aspetta misericordia e l'aiuto di coloro che si identificano con la sua situazione. Invece, se rispondessi *Sto benissimo* oppure *mi godo questa giornata meravigliosa*, saresti vista come una persona soddisfatta ed energica. In questo caso c'è anche la possibilità di suscitare l'invidia della persona con cui stai parlando e di essere influenzato dai pensieri e dalle emozioni poco costruttive che emettono nei tuoi confronti.

Nella situazione in cui ritieni di avere motivi per essere triste, ma scegli comunque di trovare dentro di te la forza per esprimere sorrisi e brillantezza e dire che sei felice, oltre al fatto che chi ti circonda si fa una bella impressione su di te, questo approccio ti aiuta per non sprofondare in uno stato negativo che può essere momentaneo.

Spesso, la risposta che le persone danno alla domanda *Come stai?* è *Bene. E tu?*. Questo *Bene* ti mostra che la persona con cui stai parlando è sia insoddisfatta della propria vita, sia introversa, sia percepisce i tuoi interessi nascosti e sceglie di mantenere le distanze, sia è disinteressata, o ci si ritrova in uno stato di monotonia e routine, oppure no è abituato a vedere la bellezza della sua vita, o gli manca l'immaginazione e la capacità di essere creativo quando ha una conversazione ecc.

È importante sentire com'è la persona con cui stai parlando e scegliere le tue parole con saggezza, in modo che la persona in causa possa contribuire alla tua perfezione attraverso tutte le forme di energia che emette in relazione a te.

L'ARTE DI COMUNICARE

Ti sarà capitato di sorprenderti nell' affermare le seguenti espressioni su di te: *Sono molto confuso oggi, Se non fossi così disperso, Non so cosa fare per smettere di essere caotico, Mi sento turbato, È come se la mia mente fosse nella nebbia, I miei pensieri volano in tutte le direzioni, Mi manca la chiarezza nel prendere questa decisione, Quanto sono stupido, Ho l'anima divisa in migliaia di pezzi* ecc.? Con l'aumento del numero di ripetizioni delle affermazioni a carattere limitativo che fai quotidianamente, il significato che dai loro viene impresso nel tuo essere e può avere conseguenze non esattamente benefiche per la tua evoluzione.

Anche se in un certo momento desideri essere più organizzato e avere chiarezza nelle sensazioni che crei, non è sufficiente fino a quando le impostazioni limitanti che hai impostato finora sono ancora attive.

Supponiamo che tu voglia sentire una profonda pace interiore, ma raramente raggiungi il risultato desiderato e per pochissimi istanti. È importante guardare nel tuo passato e capire quali aspetti ancora ti disturbano e quali delle scelte del passato influenzano così intensamente il tuo presente.

Ti sei mai chiesto quali sono le cause e gli effetti del dire troppo spesso le seguenti affermazioni: *Sono nervoso da quando mi sono svegliato, Mi arrabbio facilmente, È difficile per me essere equilibrato, Sono agitato e impulsivo, Mi stresso per qualsiasi cosa, Mi sento a disagio in presenza di ..., Non sopporto più di andare a questo lavoro e di incontrare ...* ecc.?

Quando ti trovi in compagnia delle persone che hai etichettato come fastidiose, è normale non riuscire a mantenere l'equilibrio.

Forse a volte scegli di compiacerti in determinate situazioni che non sono in linea con ciò che senti di fare. Ad esempio, il lavoro che svolgi può essere stressante quando le persone con cui interagisci sono nervose o si comportano inadeguatamente.

Vedendo gli stessi schemi comportamentali ancora e ancora, a un certo punto arrivi a credere che siano naturali, li tolleri facilmente e talvolta ti ritrovi a comportarti in modo simile, anche se, in passato, non saresti stato contento in tali situazioni. Potresti essere determinato a sentirti in un certo modo anche quando senti gli altri dire spesso le stesse parole... La semplice presenza di persone intorno a te che spesso dicono o pensano cose distruttive su di loro e su chi ti circonda può influenzare nella misura in cui non sei abbastanza concentrato e pensi vi è la possibilità di essere influenzato dalle parole che dicono.

È fondamentale non trattare con rifiuto gli stati di nervosismo che a volte provi, bensì accettarli nel loro insieme, per capire i fattori che li innescano e li alimentano, senza litigare con te stesso per il modo in cui ti sei comportato.

Lungo la vita, forse ti sei trovato nella situazione di dover fare qualcosa di specifico nei cui confronti hai sentito un'intensa ondata di impotenza oppure hai dovuto prendere una decisione e non sapevi come procedere, avendo il pensiero confuso. Uno dei fattori principali che ha portato alla manifestazione di questi stati è rappresentato da affermazioni come *Non lo so* e *Non posso* che hai pronunciato ripetutamente per tutta la vita e che hai sentito ovunque intorno a te fino a quando non sono diventate la tua realtà.

Da non intendere che alcune parole debbano essere rifiutate e non utilizzate affatto. È importante diventare un maestro delle tue parole, nel senso di sceglierle come più appropriate e costruttive.

Scegliendo di affermare ed esprimere chiarezza e armonia al di là di molti dei condizionamenti e dei programmi precedentemente impostati, può aiutarti a concentrarti sul raggiungimento degli obiettivi che ti sei prefissato.

Avendo la percezione che ti viene difficile rimanere concentrato in un profondo stato di equilibrio e ritenendo che alcuni fattori esterni a bassa vibrazione possano facilmente interrompere le tue esperienze, consenti alla tua geometria di essere influenzata in una maggiore percentuale dalle onde energetiche emesse da questi fattori.

Molto raramente sorprenderai una persona equilibrata e fiduciosa nelle proprie forze che afferma di non poter concentrarsi, di stressarsi facilmente, di agitarsi e di non sapere cosa fare nei momenti chiave, di ha pensato a qualcosa e di non ricordarselo, di dimenticare spesso, di non trovare le sue idee o le sue parole.

Nel caso di un esame, la semplice domanda *E se non ottengo un buon voto?* ti fa perdere la concentrazione e ti fa materializzare il tuo fallimento. Perché è necessario portare in primo piano la possibilità di riscontrare un fallimento? È molto più prezioso sentire che sei degno di avere tutte le realizzazioni che sogni, che sono per la tua crescita e che sono il risultato del tuo lavoro.

Allorquando dici *Devo essere felice*, tendi a fissare degli obiettivi, a fare pressione su te stesso e a creare una moltitudine di aspettative, il che ti rende difficile materializzare la felicità. Invece di credere che *Devo...*, è preferibile avere un atteggiamento rilassato e pieno di fiducia e dirti: *È naturale essere felici.*

IL SUPERAMENTO DELLE SITUAZIONI
STAGNANTI

Potresti non essere abituato a prestare attenzione ai dettagli e al modo in cui comunichi, ma questi sono particolarmente importanti.

Sebbene possano esprimere verità, alcune delle affermazioni che fai possono amplificare l'intensità di ciò che senti e spingerti a girare nello stesso cerchio.

Hai mai pensato a cosa succede se dici: *Mi fa male la testa da ieri, Il mal di pancia non se ne va più, Non mi sono ancora ripreso da ..., Sono stanco da una settimana, Mi sento la schiena tesa da anni, Da bambino soffro e affronto difficoltà, Sono timido e mi vergogno da sempre* ecc.?

In tutti questi esempi, affermi fortemente di affrontare una situazione davanti a cui sei indifeso e di cui non sai quanto tempo durerà. Inoltre, ti attacchi alla sofferenza che senti e ammetti minutamente di non sapere come uscire da quella situazione, permettendo ai fattori che hanno portato alla sua materializzazione di persistere per un periodo di tempo indefinito. Pertanto, rimani in un cerchio del disagio, della frustrazione, del dolore e della sofferenza fino a quando capisci che puoi migliorare la tua condizione se fai delle scelte costruttive.

Ad un certo punto, il corpo si abitua al dolore, alla stanchezza e al disagio. Queste condizioni finiscono per essere considerate normali. Pertanto, il dolore fisico causato dalla sofferenza, così come la stanchezza sostenuta da preoccupazioni, stress ed eventi in cui senti di non ritrovare più te stesso, sembrano perdere intensità e scomparire col tempo quando, infatti, diventando sempre più denso e meno attento agli stati e alle sensazioni del tuo corpo, non li percepisci più in tutta la loro grandezza.

Crei te stesso istante per istante secondo le tue convinzioni e queste si materializzano nella misura in cui le sostieni con energia.

Invece di prestare attenzione allo stato spiacevole in cui ti trovi e lamentarti, sarebbe bene riflettere sulle domande che potresti porti: *Qual è il messaggio che il mio corpo vuole trasmettermi attraverso questa manifestazione?, Per quale motivo mi trovo in questa situazione? Cosa posso fare per superare la mia condizione?*.

Scegliendo di decadere con ogni esperienza che percepisci in maniera superficiale e distorta attraverso i filtri dell'ignoranza, della sofferenza e dell'incapacità, ti calibri ad una nuova *normalità* in cui può prevalere la distruzione.

Abituandoti a provare dolore, finisci per entrare in risonanza con persone che hanno tutti i tipi di sofferenza e ti sembra di star bene quando sei in loro presenza. Di conseguenza, quando vedi una persona che irradia felicità, amore e salute attraverso *tutti* i suoi pori, c'è la possibilità che tu non ti senta a tuo agio vicino a lui e tendi egoisticamente a lasciare la tua impronta nel senso di diminuire il suo splendore.

Nelle condizioni in cui non riesci a vedere la tua tristezza e il tuo fallimento, non identifichi nemmeno coloro che amplificano questi stati. In una situazione del genere, diventa normale per te circondarti di persone che hanno un effetto prevalentemente distruttivo su di te e rifiutare coloro che avrebbero contribuito alla tua crescita.

Quando vai oltre il livello di comprensione che avevi nel periodo in cui ti circondavi da persone che erano solite concentrare la loro attenzione sugli aspetti negativi, riesci a vedere le persone della tua vita esattamente come sono e senti il bisogno di mantenere una certa distanza da quelli che non sono in sintonia con te.

Ci sono persone che spesso dicono di loro: *Non sono fortunato a trovare la mia metà, Non mi sembra di imparare dagli errori, Non so quante volte devo fare queste esperienze per capire che ..., Sono passati molti anni da quando non so più cosa significhi la felicità, Mi ci vorrà molto tempo per capire come superare questa situazione.* Ripetendo tali affermazioni innumerevoli volte, queste persone finiscono per diventare maestri nel materializzare quegli aspetti che non sono esattamente vantaggiosi per loro, e così sostengono il rinvio di innumerevoli gioie e conquiste per un periodo di tempo indefinito. Questo rinvio persiste finché non si sentono degni di sperimentare una realtà chiaramente superiore alle situazioni che affermano e finché non iniziano a fidarsi del loro potere interiore, il che può materializzare ciò che sentono e porterebbe loro più felicità.

Affermando: *Non riuscirò mai ad abituarmi ... o Non riesco a immaginare come potrei mai sorridere di nuovo dopo questa esperienza,* determini la tua energia a ristagnare in diverse situazioni che pensi, in maniera illusoria, di non poter superare. Se non focalizzi la tua attenzione e, implicitamente, la tua energia per superare le tue debolezze, allora probabilmente continuerai a vivere la tua vita persistendo nelle ipostasi che hai classificato come traumi, ingiustizie, fallimenti o delusioni. Pensi che valga la pena disturbare e complicare la tua vita alla luce di tali sensazioni momentanee? Perché perdere la sincronizzazione con una moltitudine di esperienze appaganti e rivelatrici che potrebbero sostenere la tua crescita?

L'immaginazione è una parte componente di qualsiasi atto di creazione. Se non ti immagini di essere una persona amata, brillante, felice e prospera, allora ti mancano alcuni degli *ingredienti* necessari per creare la realtà desiderata. Cercare di immaginarsi in varie situazioni sfavorevoli, come essere malati o sofferenti, ha anche un lato positivo se lo fai senza attaccamenti e per imparare qualche lezione. Quindi, non è necessario attraversare un vero trauma nella vita *reale* per vedere cosa proveresti per quel tipo di esperienza, ma potrebbe essere sufficiente immaginare intuitivamente, da uno stato di coscienza e chiarezza, come si sentono gli altri e quali sono le scelte che li hanno portati a quel punto. Altrimenti, se ti arrabbi e ti perdi negli stati che subisci in termini di paure e forti identificazioni, l'intero processo immaginativo ti porta nella direzione di materializzare ciò che non volevi che ti accadesse.

Ti è certamente capitato di sentire, pensare o dire che le *cose belle non durano a lungo*. Credere nell'esistenza di una tale realtà implica vivere con la paura di non perdere ciò che ti soddisfa, aspettarti che esattamente quando stai meglio possa sentirti nuovamente male, non godere pienamente dei momenti in cui sei felice, ostacolarti e attirare esperienze che ti fanno soffrire. Assumendo una tale percezione, considerando che questo non può succedere proprio a te, arrivi a credere che sia naturale che i tuoi momenti di gioia siano di breve durata e ti viene facile rinunciare ad essere felice quando ti sincronizzi con le situazioni opportune.

Lungo la vita, la maggior parte delle persone afferma innumerevoli volte di aver dimenticato varie cose e in questo modo programma la propria memoria in modo che sia di breve durata. Allo stesso tempo, accumulano una moltitudine di energie dense che hanno una dinamica priva di armonia e finiscono per ritrovarsi nella posizione di essere stanchi o di avere varie malattie croniche.

Compiacerti nell'oblio equivale a manifestare sempre meno i codici di creazione esistenti, a sentirsi piccoli, a sentirti piccolo ed estraneo alla conoscenza che è una cosa sola con te. Quindi, scegliendo di dimenticare, certo che anche le tue cellule *dimenticano* il loro potenziale e il modo naturale dal quale decorrono i processi che sostengono l'integrità, la vitalità e la longevità del tuo corpo.

Il motivo per cui, con il passare degli anni, ti sei dimenticato di come ti sentivi quando eri bambino, è che sei diventato incompatibile con la dimensione energetica dei sentimenti e delle esperienze che avevi creato in quei tempi.

Più sei consapevole di te stesso, più ricordi sempre più i dettagli delle esperienze che ti capitano da sempre. Invece, man mano che ti abitui a cadere facilmente in vari schemi che rendono difficile il tuo percorso, ci sono alcune parti di te che risuonano sempre meno con una parte delle informazioni e delle frequenze che hai espresso nel corso della tua vita. Nonostante queste informazioni non vengano portate consapevolmente in superficie, rimangono registrate in ogni cellula e particella di vita che ti compone.

Uno dei motivi per cui non esprimi in maniera consapevole l'infinita gamma di informazioni che registri costantemente è che se non fossi abbastanza concentrato, saresti sopraffatto da tutto questo e non saresti in grado di vivere il momento presente. Immagina come sarebbe doversi concentrare durante un esame e rimanere improvvisamente sorpreso di vivere esperienze consapevoli e multidimensionali e varianti dell'essere che non hanno nulla a che fare con ciò che fai in quei momenti e che non puoi affatto controllare. Semplicemente non saresti più in grado di scrivere nulla e verresti bocciato all'esame. Invece, puoi sviluppare la tua capacità di scegliere quanto intensamente e in quali momenti vivere la *vita* dalle informazioni che contieni e goderti la sua beatitudine dell'*essere* eterno.

IL CORAGGIO DI DIRE CIO' CHE SENTI

L'energia dei pensieri e delle parole che pronunciamo ha il potere di intensificare o diminuire la brillantezza di coloro con cui ci relazioniamo.

Perché dovresti vergognarti di dire ai tuoi cari: *Ti voglio bene*, *Ti apprezzo per quello che sei*, *Sei meraviglioso*, *Ti sto vicino*, *Ti ringrazio per quello che imparo da te* e così via? Sentendoti libero di esprimere l'amore e l'apprezzamento che provi per gli altri, fai sì che anche loro si aprano sempre di più, per condividere, a loro volta, i loro bellissimi sentimenti.

Quando dici a qualcuno di tutto il cuore che è bello, generi onde di energia che hanno il potere di modellarlo per esprimere ancora più bellezza e, allo stesso tempo, aumenti la sua fiducia nel suo processo di creazione. Se rifletti sul fatto che la fonte di quelle onde di energia che ti hanno aiutato sei tu stesso, capisci che in quei momenti non solo la tua bellezza ha portato una bellezza in più alla Creazione, ma anche il fatto che tu, come fonte di energia, sei cresciuto in bellezza. Questo accade perché in quei momenti ti apri alla bellezza creata dalle infinite forme di vita esistenti con le quali risuoni e che si proiettano in ogni elemento che ti compone. Inoltre, gli effetti delle onde che crei sono come un'eco che si propaga per sempre al di là della forma, del tempo e dello spazio.

Contribuendo alla crescita della bellezza degli innumerevoli esseri che sono stati, sono e saranno in sintonia con te, è ovvio che persino la brillantezza di tutto ciò che sei diventa un'espressione di tutto ciò che è accaduto, sta accadendo e accadrà a seguito dei *semi che hai piantato*.

Ci sono comunque situazioni in cui, falsamente ed egoisticamente, vengono fatte dichiarazioni d'amore, ma il loro valore reale e gli effetti non sono esattamente un'espressione delle apparenze, ma di ciò che si sente e si trasmette nella realtà.

Prendiamo l'esempio del marito che dice con compiacenza alla moglie che la ama e che è bella, nonostante sente e pensa il contrario. La moglie intercetta sottilmente l'energia dei pensieri che le sono stati trasmessi, quindi sente di non fidarsi completamente delle parole del marito, e il suo corpo reagisce di conseguenza, esternando e materializzando sia le energie ricevute che ciò che sente riguardo a questo aspetto. Nelle condizioni in cui sottovaluta e sceglie di vedersi attraverso gli occhi del marito, se pur apparentemente ha ricevuto un complimento, sullo sfondo della diffidenza, si sentirà ancora meno bella, non amata e non apprezzata, e le sue qualità fisiche svaniranno a poco a poco.

L'amore che provi e che cerchi di esprimere con riferimento alla persona amata può essere sentito istantaneamente da quest'ultima, benché si trovi a migliaia di chilometri da te e può godere e nutrire tutto il suo essere.

Crei te stesso principalmente in base al modo in cui scegli di vedere il bello, ma gli apprezzamenti che ti vengono rivolti da chi ti circonda hanno il potere di limitarti o di spingerti a un livello molto più alto.

Tenendo conto che la bellezza ha un'infinità di livelli che possono essere raggiunti e che ognuno di noi è soggettivo secondo la comprensione e la conoscenza che ha raggiunto, ciò che dal tuo punto di vista ritieni bello, dal punto di vista di un altro può essere brutto e viceversa. I livelli di bellezza che consideri ideali sono come un insieme di filtri attraverso i quali contempli la multidimensionalità della realtà circostante. Quando dici a qualcuno quanto è bello e meraviglioso, stai trasmettendo informazioni sulla tua impronta energetica e sui modi in cui la crei e la distruggi, a seconda delle tue convinzioni e percezioni nei confronti di questi attributi.

Puoi trasmettere l'amore che senti anche oltre le parole, attraverso sguardi, respiri, atteggiamenti, azioni. In effetti, la tua semplice presenza è un'espressione d'amore sulle cui frequenze vibri. Man mano che ne prendi coscienza, non senti più così intensamente il bisogno di usare una moltitudine di parole da pronunciare superficialmente, in cui perdersi e attraverso le quali esprimere te stesso e perdere la magia del momento presente.

A volte il silenzio è molto più intenso ed espressivo che fare affermazioni che vengono considerate preziose o grandiose. Oltre un certo livello ti rendi conto che qualsiasi apprezzamento che potresti fare a qualcuno finisce per diventare così piccolo che senti il bisogno di rimanere in silenzio.

Sebbene sembri essere una contraddizione, è importante che sin da piccolo ti venga insufflato il desiderio di affinare le tue qualità e crescere su più livelli possibili, anche attraverso le parole di apprezzamento. Se non ti dicessero mai che sei bella e intelligente, non solo non ti vedresti in quel modo, ma non cercheresti di crescere in queste direzioni. In una situazione del genere, ti lasceresti andare e resteresti mediocre.

IL GIUDIZIO DI VALORE

Il giudizio di valore non è qualcosa che puoi dire on modo assoluto che è sbagliato o che dovrebbe essere rifiutato, ciò avvenendo secondo la tua coscienza, i filtri attraverso i quali catturi la *vita*, le percezioni e le idee preconcette che hai, i principi che segui, la tua disciplina interiore ecc.

Anche quando fai delle scelte, dai giudizi di valore che ti aiutano a stabilire cosa: è appropriato per la tua educazione, è coerente con i tuoi desideri e sogni, è benefico per la tua salute e così via.

Emettere giudizi di valore è essenziale e ciò avviene a livello di ogni cellula che ti compone. Non giudicare affatto significa non esistere, in quanto *la vita* stessa coinvolge pure questo processo.

Il fatto di emettere giudizi con saggezza ti aiuta a identificare ed eliminare, uno per uno, i fattori che contribuiscono ad amplificare il caos dentro di te e ad elevare gli aspetti che danno un significato più bello alla vita.

Quindi, il giudizio di valore ha una dimensione costruttiva nella misura in cui focalizzi la tua attenzione per manifestare il tuo potere in modo prevalentemente creativo e comprendi che hai un contributo considerevole non solo sulla tua vita, ma bensì sulla Creazione.

Essendo prevalentemente creativo, apprezzi il Divino e vedi la bellezza in ognuno. D'altra parte, se tendi ad essere distruttivo, caotico e negativo, pure i tuoi giudizi di valore sono critici, distruttivi e mutevoli. È utile sentire quando è opportuno evidenziare le debolezze degli altri, in modo da motivarli a diventare una versione migliore di loro, perché altrimenti si può ostacolare la loro evoluzione. Il momento giusto può essere impostato anche in base alla flessibilità, apertura e positività della persona a cui ti rivolgi.

Sebbene tocchi alcune verità quando dici a qualcuno: *Sei facilmente influenzabile, Pensi solo a te stesso, Non mi capisci*, ometti il fatto che, da un lato, la persona in questione ti rispecchia in un modo o un altro, e dall'altra parte amplifica gli stati che evidenzi e invochi.

Invece di formulare ogni sorta di accusa, potresti sostituire le osservazioni di cui sopra con le seguenti: *Sii più fiducioso in ciò che senti e pensi!*, *Potresti prestare maggiore attenzione a come le tue azioni e le tue parole mi influenzano!, Sarei felice se provassi a capirmi meglio.*

Ci sono situazioni in cui la critica è come una risposta al tuo forte desiderio di superare i tuoi condizionamenti, toccando e *distruggendo* le programmazioni limitanti che ti ha tenuto nello stesso cerchio dell'incapacità e dell'ignoranza.

Proprio come le critiche hanno il potenziale di distruggere ciò di cui non hai più bisogno o di amplificare le tue debolezze, contribuendo al tuo declino, pure le parole di apprezzamento hanno la capacità di rafforzare il tuo ego oppure di sostenere il tuo potere. Dipende da te come scegliere di relazionarti a tutto questo.

La natura ci mostra che un essere vegetale, con radici forti e ben ancorato al suolo, si adatta facilmente, e non solo resiste a condizioni climatiche ostili, ma ha un intenso potere di rigenerarsi e crescere in breve tempo a dimensioni considerevoli, nonostante il fusto venisse sezionato.

Non importa quanto siano difficili le prove, le persone forti non permettono ai giudizi acidi degli altri di influenzarle e trovano sempre le risorse per sollevarsi facilmente da qualsiasi situazione, essendo ben ancorate ai loro principi, che esprimono molto più puramente dalle verità universali.

Metaforicamente parlando, potresti confrontare queste persone con il loto, il loro ambiente con l'acqua di uno stagno e le critiche che li prendono di mira con il fango che si deposita sul fondo dello stagno. Senza fango, il loto non potrebbe esistere. Sentendoti sopraffatto dal *fango* e conferendogli un'ampiezza molto più grande di quella che effettivamente ha in realtà, non ti alzi più al di sopra di esso, non fiorisci più e non regali più dalla bellezza che è una cosa sola con te.

La sofferenza fa parte del nostro processo di fioritura e ha la capacità di amplificare la nostra beatitudine e vitalità.

Persino il modo in cui critichi è molto importante. Puoi criticare in un modo facilmente accettabile o in un modo acido che ha il potere di distruggere. C'è una grande differenza tra dire di qualcuno che è *stupido* o, al contrario, che *ha del potenziale, e se si impegnasse di più, potrebbe diventare ancora più intelligente.*

L'esigenza con cui giudichi è determinata sia dalla frequenza sia dall'intensità dell'odio con cui hanno criticato coloro che ti circondano, indipendentemente se si tratta di familiari, insegnanti o compagni di scuola. Ad esempio, sentendo spesso critiche con riferimento alle persone non intellettuali, c'è un'alta probabilità che a tua volta respinga quelli che non rientrano in questa categoria e giudicarti per i momenti in cui sei o ti sembra di trovarti sotto gli standard che ti sei prefissato a tal senso.

In realtà, non pupi dire che esiste una persona che non sia affatto intelligente, soprattutto perché l'intelligenza è di vari tipi. Benché ti sembri che una persona non eccelle in certi ambiti secondo le tue aspettative e ti affretti ad etichettarla, forse ha altre qualità, alcune che potresti persino non conoscere.

Il semplice fatto che il corpo riesca a essere pieno di vitalità, a trasformarsi, a funzionare in modo così bello e ad evolversi è un'espressione della sua intelligenza. Stiamo quindi parlando di un'intelligenza per quanto riguarda l'adempimento delle funzioni e il modellamento delle proprietà di ogni elemento costitutivo del corpo.

Le persone che hanno un bel corpo sono pure molto intelligenti in questo senso. Stiamo parlando di un'intelligenza della bellezza. Se per alcuni l'intero corpo è un'espressione di bellezza, per altri solo alcune regioni possono essere create in un modo visivamente più piacevole. Quindi incontriamo persone che hanno un naso, labbra, sopracciglia, zigomi, pelle o mani particolarmente belli.

L'intelligenza può essere anche di natura emotiva, alcune persone riuscendo ad essere molto espressive e intuire facilmente le emozioni di coloro che le circondano.

Coloro che hanno un'acutezza visiva e uditiva eccezionale, che distinguono facilmente gli aromi e gli odori e percepiscono i tocchi più fini, hanno una speciale intelligenza sensoriale. La memoria sensoriale è anch'essa di diversi tipi, alcune persone infatti eccellono quando si tratta di apprendere usando la memoria visiva o uditiva. Coloro che conoscono l'alfabeto braille hanno una speciale intelligenza tattile, ma le persone comuni trascurano questa capacità, che può essere perfezionata ben oltre il potere della loro immaginazione. Non devi avere determinati disturbi per elevare i tuoi sensi o le tue capacità. Poche persone pensano che se alleni tutti i tuoi sensi nel processo di memorizzazione, le informazioni che ti rimangono sono più numerose e più complesse.

Le persone che mantengono il proprio corpo in equilibrio in posizioni o condizioni difficili hanno un'intelligenza dell'equilibrio. I più intraprendenti hanno un'intelligenza dei riflessi e dell'orientamento spaziale. I grandi pittori sono maestri dell'intelligenza dei colori, delle forme, dei volumi, delle ombre, delle luci.

Ogni essere vivente è privilegiato con una vasta gamma di tipi di intelligenza, ma le percentuali e le modalità con cui le esprimono sono varie e oscillano da una situazione all'altra.

Tutti quanti esprimiamo un certo livello di intelligenza, quindi dire a una persona che è stupida non è esattamente giusto.

La critica è spesso caratteristica di chi è rigido e sofferente, che si trova in un intenso stato di agitazione e tensione, e non di chi è felice, sano e rilassato, che regala vita in *sovrabbondanza*. Fondamentalmente, quando critichi e offendi, sia il tuo campo energetico che la maggior parte delle tue cellule si contraggono. Nella misura in cui sei cattivo con te stesso, sei cattivo con gli altri, invece più accetti te stesso, più accetti gli altri.

Avendo l'abitudine di lamentarti di vari aspetti dell'esistenza, ma senza approfondire, allora a volte può essere fastidioso e noioso per te ascoltare gli altri mentre espongono le loro lamentele.

Ci sono persone che da anni si lamentano del proprio aspetto fisico. Sebbene sognano di avere un corpo più sano e tonico, non fanno nulla troppo al riguardo, trovando ragioni e scuse per assecondare l'incapacità di esaudire i propri desideri.

Sarebbe meglio trovare qualcosa di costruttivo da fare, piuttosto che sopportare l'atteggiamento di chi non fa altro che lamentarsi oppure stare al loro gioco.

Quando critichi un'altra persona, in realtà stai criticando te stesso, perché quel qualcuno è uno con te. Ti proietta e rispecchia alcune delle tue debolezze e qualità. Sembra sia molto facile scoppiare, ma una persona equilibrata mostra compassione e capisce quando l'altro si abbandona alla mancanza di conoscenza, trattandolo con delicatezza, proprio come un *insegnante*.

Ognuno dà forma alla propria realtà attraverso il prisma di un modo unico di relazionarsi all'esistenza. Di conseguenza, mentre una cosa può essere giusta per qualcuno, potrebbe essere sbagliata per un'altra persona.

Pensando di farsi giustizia e di trovare un equilibrio, alcune persone si relazionano con cattiveria nei confronti di coloro che pensano di aver sbagliato, desiderando che anche esse facciano esperienze che portino loro sofferenza e dolore. Non capiscono che tutti ricevono ciò che meritano, ciò che pensano di meritare o ciò che offrono, in base alle scelte che fanno, scelte che a volte possono essere sconsiderate, stabilite in fretta, in termini di identificazioni. Inoltre non mirano a bilanciare l'equilibrio e il più delle volte, a causa della mancanza di conoscenza ed equilibrio, possono inviare alla persona in questione delle onde di bassa energia di vibrazione che non coincide affatto con ciò che avrebbe meritato di ricevere.

Tutto ciò che desideri a qualcuno in modo negativo o positivo, al di là di ciò che è appropriato per attrarre, si materializza a seconda della compatibilità, tutto ciò avendo un effetto altresi su di te.

L'Universo funziona secondo la legge dell'equilibrio, in modo che tutto si armonizzi al momento giusto e nella giusta forma, anche se a volte sorprende le tue aspettative o accentua le tue delusioni.

Quando desideri il male, crei e mandi in modo personalizzato onde di energia a bassa frequenza che influenzano non solo te, bensì la persona per la quale non mostri abbastanza amore. Se la sua radiosità è molto al di sopra dell'odio mirato su di essa, non ne sarà influenzato in alcun modo, ma chi ha pronunciato quelle parole ingiustamente diventa vittima delle sue stesse parole.

Perché accadere a coloro che una volta ti hanno fatto un torto esperienze prevalentemente negative per il resto della vita, solo perché così vuoi tu? Forse alcuni di loro hanno superato la loro condizione e sono diventati molto più brillanti di quanto non fossero quando sostieni che avevano sbagliato nei tuoi confronti.

Da un'altra parte ti sei mai chiesto:

- ✓ Qual è la tua parte di contributo a tutto ciò che ti accade, alla tua crescita o al tuo declino?

- ✓ Se gli altri sono cattivi con te, perché li attiri nella tua vita?
- ✓ Ci sono forse momenti in cui anche tu sei cattivo, sia verso te stesso sia verso gli altri?
- ✓ Sei così consapevole da intuire le intenzioni negative degli altri nei tuoi confronti?
- ✓ Ti sottovaluti, non ti rispetti quanto meriti e permetti agli altri di ignorare le tue aspirazioni, desideri, sogni e gioie?
- ✓ Pensi di non essere del tutto degno di essere amato e apprezzato?
- ✓ A volte ti assecondi nel ruolo di vittima o di una persona debole, che può essere considerata una facile preda da chi vuole approfittare degli altri?

Le domande possono continuare, ma devi capire perché stai attraversando situazioni in cui senti di aver subito un torto e sei stato persino frainteso.

In nessuna circostanza puoi avere ragione al 100%, dato che le realtà, le verità e le prospettive da cui puoi guardare l'esistenza sono infinite, e indipendentemente di quanto ti sforzi ad ampliare i tuoi orizzonti, ce ne saranno sempre di più.

In qualsiasi direzione cerchi, non troverai un punto finale vicino al quale fermarti e dire che hai coperto assolutamente tutto. Quindi, anche se una persona ha torto secondo la tua prospettiva, secondo altre prospettive ha agito correttamente e forse, oltre a ciò che hai percepito come un'ingiustizia nei tuoi confronti, c'erano altre azioni corrette nei suoi confronti o nei confronti degli altri.

Gli effetti dei desideri che nascono dalla cattiveria si riflettono sempre sul loro autore.

Un giudizio molto più vicino alla realtà è costruttivo

e ti protegge dalla sofferenza che può essere opprimente e che può contribuire al tuo declino.

A seconda di come ti giudichi, tendi a criticare pure le persone della tua vita e, man mano che aumenti il tuo livello di consapevolezza, diventi un giudice saggio, giusto e complesso.

Se non sei consapevole di come ti giudichi, allora guarda come ti relazioni con gli altri. Più sei giusto e amorevole in relazione a te stesso, più ti comporti allo stesso modo con gli altri.

Puoi renderti conto che nei confronti di alcune persone non manifesti critiche e cattiveria, mentre nei confronti di altri ti accendi rapidamente e difficilmente riesci a trattenerti dall'inviare loro pensieri negativi. Uno dei fattori che ti determina di essere cattivo con certe persone è che anche esse sono per lo più dispettose e feroce, e le loro onde toccano e amplificano in te aspetti simili su cui sei abituato a concentrare la tua attenzione.

Può succedere che nei momenti di tumulto interiore ritenga di aver agito bene, di aver sbagliato più che nella realtà o di aver agito in modo scorretto, benché non sia stato così. Giudicando erroneamente che non devi essere ritenuto responsabile delle tue azioni, che devi pagare un prezzo molto più alto per ciò che hai fatto o che devi sentirti in colpa, ma senza essere necessario, faciliti la materializzazione di alcune esperienze inappropriate, che aumentano il tuo stato di degrado e ambiguità.

È preferibile non fare scelte importanti quando si è troppo eccitati, arrabbiati, furiosi o non in buone condizioni generali, perché, a causa della pronunciata identificazione, il caos interiore è più accentuato e non si ha la necessaria lucidità. In una situazione del genere, sei come l'acqua in cui è stata appena lanciata una pietra e sulla cui superficie non puoi vedere con precisione il riflesso delle stelle e della luna. Pertanto, è necessario prima attendere che le onde generate si fondano in armonia e accettazione con l'insieme da cui sono apparse.

Ogni volta che sei ansioso, indipendentemente di quanto siano chiare le immagini che contempli, le verità o le esperienze di cui sei testimone, non riuscirai a percepirle per come sono realmente. Perché permetterti di sprofondare in tali condizioni, se non ti sono utili?

Ciascuna scelta è importante, per quanto insignificante possa sembrare.

Gli effetti dei fatti prodotti da un giudizio distorto accentuano le tue sofferenze e delusioni, mentre gli effetti di pensieri, emozioni, azioni e scelte scaturite da un giudizio più puro ti portano un valore aggiunto e più equilibrio.

Se da bambino sei cresciuto in un ambiente povero, dove ti viene insegnato che non meriti di più, non puoi attirare più prosperità, non sei degno di essere amato e felice ecc., allora ti ritrovi nella posizione di giudicare te stesso, allo stesso modo. Di conseguenza, ti costruisci in un modo che non esprime troppa verità, tenendo conto che il potenziale di ogni forma di vita è infinito e spetta a ognuno di noi scegliere fino a che punto impostare i propri limiti.

Gli errori fanno parte del processo di apprendimento. Rifiutare questa realtà significa sottomettersi a stati di tensione e sofferenza senza alcuna necessità, ma non significa che bisogna portare questa verità all'estremo e compiacerti nel commettere errori, ritenendo che ciò sia naturale. Un approccio corretto sarebbe che quando commetti un errore, rifletti sulla situazione e capisci cosa devi fare per diventare una versione migliore di te stesso.

È molto semplice desiderare che gli altri paghino per gli errori che pensi stiano facendo nei tuoi confronti, soprattutto perché intervengono l'indifferenza e l'ignoranza, ma quanto ti senti a tuo agio quando si tratta di pagare per gli errori che commetti nei confronti degli altri?

Augurare agli altri del male o aspettare che accada loro qualcosa di doloroso nell'idea di pagare per gli errori che hanno commesso non ti fa star meglio, visto che disturbi il tuo stato interiore. Concentrandoti sulla dimensione energetica degli errori, sei influenzato dalle vibrazioni che possono determinarti a commettere facilmente degli errori.

Nessun corpo contiene due cellule identiche, quindi ogni forma di vita è unica, ma nonostante ciò, può capitare che a volte desideri che una certa persona paghi per quello che ha fatto, con la stessa moneta e nella stessa misura. Un tale desiderio nasce da un impulso momentaneo, da uno stato di invidia, rabbia e caos in cui la chiarezza dei sentimenti è sostituita dal disturbo.

Tuttavia, ci sono situazioni in cui la persona che incolpi ti ha fatto più bene che male, ma:

- ✓ è possibile che sia tu quello che, a causa del tumulto interiore, non hai la chiarezza per vedere oltre le apparenze;

- ✓ scegli de vedere solo i suoi sbagli;

- ✓ ha commesso un errore senza intenzione e non merita all'improvviso una punizione così grande che pensi;

- ✓ forse quello che ti è successo è una lezione che bilancia l'equilibrio e ti mostra che anche tu hai fatto cose simili in passato;

- ✓ devi capire che attiri le persone che ti regalano esperienze diverse e quindi puoi essere consapevole degli aspetti che necessitano miglioramenti.

Potresti credere erroneamente di dover pagare per un'azione che era tutt'altro che un errore, o che qualcuno debba sentirsi in debito con te per qualcosa che era esattamente quello che ti meritavi. Tale pensiero può rendere possibile la tua sincronizzazione o quella dell'accusato con esperienze sfavorevoli che, se non fossero state attirate, non si sarebbero verificate.

Perché continuare ad avere pensieri negativi su persone che, per tutta la vita, sono state e continuano ad essere i tuoi *insegnanti*, anche se potresti ancora considerarli ostacoli? In realtà ti danno impulsi che favoriscono l'espansione dei tuoi orizzonti, benché spesso li etichetti come guai, problemi o sofferenze. Sebbene, a un certo punto, la loro coscienza era più ristretta, nel frattempo potrebbero essersi evoluti e non farebbero lo stesso.

Il semplice fatto di capire che ognuno trae conseguenze o opportunità a seconda del loro livello ti spinge a non pensare a ciò che vorresti che accadesse agli altri.

Le leggi dell'Universo sono giuste per tutti, nonostante a volte pensiamo che non sia così.

COME TI DEFINISCE L' INFANZIA

I genitori che credono che sia sufficiente nutrire, prendersi cura e crescere i propri figli solo fisicamente si sbagliano.

Mentre l'alimentazione *fisica* viene eseguita solo poche volte durante la giornata, l'alimentazione *sottile* viene eseguita in maniera incessante. Stesso l'ambiente in cui vivi rappresenta una fonte di energia. Quindi, se vivi in un ambiente prevalentemente *tossico* e risuoni con tutte le frequenze e le informazioni che lo definiscono, attiri da ogni parte le onde energetiche del Multiverso il cui impatto ti rende difficile l'ascensione.

Identificandoti con il rapporto che hai con le persone

vicine, ma anche con il loro modo di relazionarsi alle proprie esperienze, queste avranno un impatto significativo anche su di te.

Dato che ci creiamo a vicenda, tutto ciò che le persone emettono da un sottile punto di vista energetico con riferimento al proprio figlio o ai figli degli altri può diventare realtà.

Gli adulti che trasmettono ai bambini con sincerità e amore che sono brillanti, geniali, belli, intraprendenti, coraggiosi, forti ecc., influenzano la loro materia con i codici creativi e le informazioni che emettono in quei momenti. Instillando ripetutamente in un bambino che ha qualità diverse, stai sempre più imprimendo le vibrazioni delle virtù che vuoi instillare in lui.

D'altra parte, se da bambino ti e capitato di sentire spesso tua madre lamentarsi di te con gli altri, dicendo loro: *Il mio bambino ancora non parla*; *Mi assomiglia, essendo altrettanto ...*; *Non gli piace affatto studiare*; *Non vuole ascoltarmi ogni volta che gli dico di ...*; *Prende il raffreddore molto spesso e guarisce solo se ...* e così via e ti sei identificato con quelle affermazioni, sei arrivato a vedere te stesso e ad agire di conseguenza.

LA VIRTÙ DI ESSERE ASSUNTI

A seguito dei condizionamenti fortemente radicati, molti scelgono di essere modesti, di credere di più nel potere degli altri, di trovare scuse per la loro situazione, di incolpare gli altri e di ripetere quanto segue: *È colpa dei genitori se non ho fiducia in me, Mi capita spesso di essere colto di sorpresa perché gli altri sono disattenti, Per colpa di mio marito non riesco più a ritrovarmi, non mi sento più bella e ho perso la mia autostima, Per colpa sua mi trovo in questa situazione.* Avendo una tale prospettiva sulla vita, certo che la loro evoluzione rallenta notevolmente, soprattutto perché non riescono a vedersi per quello che sono e non fanno scelte costruttive al riguardo.

Indipendentemente di come gli altri ti dicono che sei o che puoi essere, alla fine sei tu quello che sceglie come reagire alle loro parole. Puoi sottovalutare te stesso e diminuire il tuo potenziale che manifesti oppure puoi ignorare le loro parole e fare cosi come ti detta il tuo essere.

Sei il principale responsabile per il modo in cui crei la tua vita, gestisci le tue esperienze o rispondi alle situazioni che attiri.

Quando dici: *Signore, ti prometto che farò ... e sarò ..., ma per favore dammi ...*, infatti stai ricorrendo a una sottile forma di ricatto e non stai assumendo i risultati delle tue azioni e del tuo divenire. Se non ricevi ciò che hai chiesto, ovviamente in seguito avrai l'illusoria opportunità di ribellarti, di vittimizzarti, di assolverti da ogni responsabilità e di avere qualcuno da incolpare e ritenere responsabile.

Alcuni dicono *Forse sarà Dio a darmi una casa, salute e felicità.* Un tale approccio implica rinunciare al potere personale e lasciarsi andare in uno stato di attesa, in cui rinunci a fare qualcosa per te stesso e speri che, a un certo punto, qualcuno ti dia ciò che chiedi.

Sei tu a stabilire i tuoi limiti e accettare o rifiutare di percepirti come ti vedono coloro che ti stanno intorno, essendo più o meno influenzato dall'ambiente in cui ti trovi.

Se vuoi migliorare le tue condizioni economiche, devi aumentare i tuoi sentimenti, fare una moltitudine di nuove scelte che derivano da una conoscenza molto più complessa e intraprendere determinate azioni che siano coerenti con il livello di abbondanza che vuoi raggiungere.

Hai una certa forma di salute da quando vieni al mondo, ma questo dipende inizialmente dagli effetti delle scelte che fanno i tuoi antenati, sia per quanto li riguarda sia per quanto ti riguarda, nonché dal livello di brillantezza dell'ambiente in cui ti sviluppi. Man mano che cresci e ti viene concesso di abbracciare in maniera responsabile la tua libertà di essere, la tua salute dipende principalmente dalle scelte che fai e dall'ambiente in cui scegli di vivere e al cui processo creativo contribuisci.

La felicità è una scelta, così come la sofferenza. Nella misura in cui scegli di goderti la vita, attiri persone felici ed esperienze che ti portano ulteriore felicità.

Altri dicono facilmente, senza impegnarsi più di tanto: *Non so come risolvere questa situazione, ma tu, sicuramente lo sai meglio di me. Non vorresti aiutarmi e dirmi come procedere?.* Supponendo che gli altri siano migliori di te e tu non sappia cosa fare nei momenti chiave, indulgi nell'ignoranza e nella sfiducia. Nella misura in cui scegli di privarti di nuove esperienze, hai un atteggiamento rilassato e non ti fidi dei tuoi punti di forza, contribuisci sempre meno all'elevazione del tuo potenziale. Ad un certo punto, c'è la possibilità di iniziare a dipendere dagli altri o di approfittare di chi si dimostra in grado di offrirti facilmente aiuto, ma un simile atteggiamento non ti serve affatto.

Perché essere superficiale e non lasciarti coinvolgere completamente dalla tua vita? Pensi che sia etico che qualcun altro faccia ciò che spetta a te fare? Se non scegli di essere l'autore principale dei tuoi sentimenti, allora chi dovrebbero esserlo?

Gli eventi che attiri sono prima di tutto per te, quindi sei tu che devi trovare le soluzioni. Se qualcun altro ti dà le risposte, dov'è il tuo contributo? Come impari le tue *lezioni*?

Certo, ci sono momenti in cui chiedere il consiglio di qualcuno più saggio può essere una mossa intelligente, ma è molto importante non dipendere dall'aiuto degli altri, bensì essere in grado di cavarsela da soli.

Dicendo spesso: *Se perdo, ci proverò, ma non so se riuscirò* o *Se la mia situazione non migliorerà*, ammetti che a un livello sottile non ti fidi della tua forza, hai delle debolezze e delle incertezze e non puoi immaginarti nella situazione di riuscirci. Man mano che le tue debolezze si trasformano in forza, ti viene naturale dire: *Certamente ..., Posso ..., So ....*

Si può notare una notevole differenza tra chi si è formato un automatismo lamentandosi tutto il giorno e dicendo che non può e non sa e chi afferma il suo potere attraverso ogni parola pronunciata in modo molto più consapevole.

Se vuoi liberarti di una certa dipendenza, ma continui comunque a dire: *Mi manca la volontà, Non credo di riuscirci, Fumo da troppo tempo ed è difficile per me smettere di fumare all'improvviso, Non fa niente se fumo una sigaretta di tanto in tanto, Cosi sono io, un carattere più debole, Non sono abbastanza forte*, non potrai cambiare le tue scelte e le dinamiche energetiche che solo in misura molto piccola, il che non farà molta differenza comunque.

Invano vuoi dimagrire se ti dici ogni giorno in vari modi, più o meno subdoli: *Sono grasso, Faccio fatica a dimagrire, Non credo di dimagrire mai, Assomiglio ai miei genitori che sono stati grassi per tutta la vita, Mi manca la volontà di perdere peso, È difficile per me rinunciare allo zucchero*. Ci sono sempre una moltitudine di soluzioni ai problemi che devi affrontare.

Nel ripetere a lungo i seguenti tipi di affermazioni: *Non voglio sapere, Non voglio scoprire, Non voglio pen-*

sare a ..., *Non voglio fare ...*, nonché nella misura in cui ci credi, imprimi alcune impostazioni che continueranno a limitarti in tutti gli aspetti della tua vita. In altre parole, diminuisci il tuo potere di essere e di materializzare.

Immagina uno spazio infinito che include una moltitudine di gradini situati ad una notevole distanza l'uno dall'altro. Per evolversi, l'esistenza ti offre già dei passaggi, punti stabili che ti porteranno un equilibrio in più. Questo aiuto ti sostiene nei processi di creazione, in modo da avere l'ambiente giusto per costruire grandi cose. Tuttavia, affinché i gradini esistenti assumano la forma di una scala che potrai salire, è necessario contribuire con qualcosa alla tua crescita: *costruire una parte dei tuoi gradini*, essere perseverante e continuare a salire, ascoltare il tuo intuito ecc.

L'esistenza è accanto a te, ma la domanda che viene posta è la seguente: *Cosa fai per garantire un flusso e sicurezza tra questi gradini?* A seconda del caos interiore e di quanto difficile pensi possa essere il tuo percorso nella vita, c'è la possibilità che *i gradini che stai costruendo* possano essere instabili o collocati nel posto sbagliato o in una posizione innaturale. In questo caso è ovvio che lo sforzo che fai è grande, mentre la fatica e il dolore sono intensi. Questo accade quando vuoi riposare sui *gradini* che poni in modo sbagliato e in una posizione innaturale, essendo costretto a rimanere teso in diverse posizioni per stabilizzare *il gradino* che trema con te.

Abituandoti a prendere riferimenti sbagliati, a rinunciare facilmente, ad avere la percezione che tutto sia fatto con difficoltà e grande sforzo e a non fidarti di te stesso, sia vai avanti con difficoltà e crei in maniera illusoria certi ostacoli, sia ti fermi per da molto tempo in una determinata situazione, o cadi in stati o situazioni da cui pensi di non poter più rialzarti, dato che sei molto instabile e le tue oscillazioni sono improvvise e caotiche.

AFFERMAZIONE DELLA RICHEZZA

Alcune persone tendono a dare spiegazioni superficiali per la situazione materiale precaria in cui si trovano, dicendo: *Sono povero perché non sto bene, Sembra che non abbia fortuna nella vita, Come faccio a superare la mia condizione se tutti I miei parenti hanno lavorato sodo? Da quando sono nato, vivo in povertà.*

Essere prosperi non ha nulla a che fare con la fortuna. *La fortuna* è una parola usata da chi non sa o non sente profondamente che il modo in cui vibrano li determina a creare e ad attrarre sotto forma di sincronicità esperienze che sono l'espressione della loro ricchezza interiore.

Ti può andare bene soltanto se ti senti abbondante e fai delle scelte intuitive attraverso le quali superi la posizione sociale e materializzi la ricchezza su cui lunghezze di onde desideri esserci.

Anche se sei nato in povertà, questo non significa che debba essere così per tutta la vita. Hai bisogno di coraggio per aspirare verso alto, nonché di determinazione, fiducia in sé stessi, ascolto dell'intuizione e perseveranza nella manifestazione del potere interiore e della conoscenza, che ti porteranno a intraprendere i passi necessari per costruire un percorso pieno di prosperità.

Indipendentemente da cono sono stati oppure sono i tuoi familiari, hai la possibilità di arrivare molto più lontano di loro. Puoi consolarti in apparenza e dirti che *La mela non cade lontano dall'albero,* ma perché fare riferimento a questa espressione, e non al fatto che i semi di un albero sono portati dal vento e possono arrivare a molti chilometri di distanza dal loro *creatore?*

Ti è mai capitato di dire: *Quasi sempre non ho soldi,*

Non posso permettermi di andare in vacanza, di comprare una casa ..., *Posso farcela fin qui*, *Ho paura di osare ...* oppure *Non sono in grado di...*?

Quando ti lamenti di non avere soldi, chiediti perché sta succedendo questo. Gestisci i tuoi soldi in modo saggio ed efficiente? Guadagni più che puoi? Investi abbastanza in te stesso in modo tale de crescere su più piani?

Allo stesso tempo, perché tracciare un limite del potere, che alimenti con la paura di conoscere, di essere, di poter e di avere di più? Scegli tu fino a che punto andare! Se non affermassi così spesso e così ferocemente le debolezze momentanee, potresti facilmente attirare anche altre fonti che ti porterebbero più prosperità.

Probabilmente hai sentito le persone intorno a te dire: *Cos'altro posso cambiare e fare ancora alla mia età?*, *Dio non vuole che io abbia di più...*. Non è Dio che impedisce le persone di avere di più, ma sono loro e non volerlo, scegliendo di trovare innumerevoli ragioni per i loro fallimenti. Nella misura in cui non credono nelle proprie forze, inizia a prendere contorno la loro convinzione che *sia qualcuno lassù* ad essere responsabile dei risultati che accadono loro. Quindi scappano dall'assumermi la responsabilità per quanto riguarda il modo in cui creano la propria vita.

Non è mai troppo tardi a prefissarti obiettivi più alti e perfezionare le parti che ritieni più deboli.

Quando affermi *Mi accontento anche di poco* oppure *Perché dovrei aver bisogno di più?*, tutto il tuo essere è calibrato in modo tale da soddisfare i tuoi desideri. Di conseguenza: la tua immaginazione si limita a delineare una situazione finanziaria mediocre; l'intuizione non ti guida più ad essere e ad avere di più; non hai idea di come prosperare; le azioni, i pensieri e le emozioni che crei ruotano attorno all'insoddisfazione, alla frustrazione e alla mancanza.

Probabilmente ti è capitato di sentire quanto segue: *Meglio poveri e sani che ricchi e malati*, *Il denaro non porta felicità*, *Il denaro è la radice di tutti i mali*, *I ricchi sono disonesti*. Considerando che potrebbe accaderti qualcosa di brutto, tali affermazioni ti impediscono di sognare di più.

Certo, se sei povero, non sei necessariamente sano o felice, così come i ricchi non sono necessariamente malati. Una tale generalizzazione basata sulla dualità è lontana dalla verità e ogni persona ha il proprio livello di salute e di abbondanza.

Alla fine, come definiresti la ricchezza, dato che la ricchezza può essere di un'infinità di tipi? Alcuni possono essere ricchi nell'amore, altri nella felicità, conoscenza manifesta, vitalità, denaro, oro, diamanti, terreni ecc. Eppure, c'è davvero una certa quantità di denaro da cui tracciare una linea, in modo tale da dire che tutti coloro al di sopra di essa sono ricchi?

È impossibile assolutizzare il fatto che il denaro non porta la felicità. Tutto ciò che esiste ha il potenziale di portare valore aggiunto e felicità a ciascuno di noi. Il problema nasce quando stringi così tanto gli occhi da non vedere nient'altro che soldi, considerando che solo il denaro può appagarti.

Le esperienze ti elevano o ti abbassano a seconda di come le percepisci. Sei tu che scegli le cose a cui dare valore. Ad esempio, in alcune parti del mondo, viene dato un valore inestimabile a costumi o credenze che in altre regioni nemmeno esistono.

Molto spesso senti intorno a te discussioni su soldi, stipendi, carriera, ricchezze, così come domande del tipo: *Cosa vuoi fare da grande?*, *Che lavoro vuoi fare?*, *Quale università vuoi seguire?*, e tutto ciò rafforza l'idea che la tua vita dovrebbe ruotare attorno al denaro e allo statuto. Ma quante volte vedi persone intorno a te che dicono: *Sono determinato ad essere più amorevole*; *Sogno di incontrare il mio vero amore*; *Voglio provare sentimenti sempre più alti*; *Intendo mostrare più pace interiore*; *Quando diventerò grande, desidero essere più bello e più felice di quanto lo sono oggi?*

Invano sacrifichi la tua felicità e il tuo amore per avere una professione rispettabile, che ti porterà molti soldi, se quando arrivi a casa non sei accolto da una persona cara, non ti addormenti tra le braccia della persona amata, ti svegli da solo, triste e stanco, mangi da solo, non c'è nessuno che ti dica di amarti. Quante persone danno il dovuto valore a tutte queste gioie che sono, infatti, inestimabili?

Al di là di ciò che *l'esterno* può offrirti, è assolutamente naturale rallegrarti perché *ci sei*! Questa gioia si esprime da sé anche quando ti vizi e acquisti cibo *biologico*, abbigliamento e prodotti per la cura di qualità, dispositivi all'avanguardia che facilitano il tuo lavoro o stimolano la tua immaginazione e creatività ecc.

Spetta a te scegliere o meno di essere prospero e allo stesso tempo godere del dono della vita. Non c'è niente di sbagliato nell'avere di più.

Il denaro non è assolutamente la radice di tutti i mali, così come alcuni ritengono. Che tu ne abbia di più o di meno, puoi scegliere di usarli in modo distruttivo o costruttivo. Mentre alcuni li usano per manipolare le masse, danneggiare la concorrenza o avvelenare i loro corpi con sostanze che creano dipendenza (tabacco, caffè, droghe), altri li usano per aiutare la società a svilupparsi dal punto di vista tecnologico, medicale, spirituale, educativo.

Indipendentemente dai soldi che hai, sei tu a darli il giusto valore. Sentendoti valoroso e degno di quello che hai, sai investire in modo tale da moltiplicare quello che hai.

Per prosperare, devi avere determinate qualità. Può essere molto facile giudicare il ricco per l'abbondanza che ha e per il modo in cui la gestisce, ma chiediti se hai le qualità giuste che ti aiutino a materializzare ciò che desideri.

Non puoi andare troppo lontano fino a quando che:
- ✓ ritieni di essere una vittima;
- ✓ ti piangi addosso;
- ✓ giudichi gli altri;
- ✓ ti metti un'etichetta;
- ✓ non vedi il tuo potenziale;
- ✓ sostieni e coltivi le tue debolezze;
- ✓ porti giustificazioni per non poter fare di più;
- ✓ ti consideri spezzato dalla ricchezza e dalle frequenze dell'abbondanza;
- ✓ non ti senti prezioso e degno di essere e di avere di più;
- ✓ dichiari quotidianamente le mancanze che pensi di avere;
- ✓ non ti impegni abbastanza per crescere;
- ✓ rimani nella zona di comfort;
- ✓ ti compiaci nel fare qualcosa che non rispecchia il tuo essere;
- ✓ non hai il coraggio di sognare e aspirare a realizzare i tuoi sogni;
- ✓ segui determinati standard ecc.

LA DIPENDENZA DALL' ESSERE MALATO

Forse hai parzialmente ragione quando dici: *Non ce la faccio più per il caldo*, *Ho molto freddo*, *Mi fa male lo stomaco per la fame*, *Ho la gola secca per la sete*, ma le informazioni che trasmetti verbalmente vengono registrate come un'impostazione nel tuo intero corpo. Attraverso tali affermazioni, crei vari squilibri nei centri responsabili della regolazione della temperatura, della fame, della sazietà o della sete.

Cosa ti fa pensare di non poter controllare consapevolmente il tuo corpo, a seconda delle circostanze in cui ti trovi? Benché fuori ci siano 40 gradi Celsius, ciò non significa che non puoi adattarti o sentirti a tuo agio. Naturalmente, ecco un altro dettaglio, ovvero quanto sei flessibile in generale.

La flessibilità e il flusso che scegli di esprimere influenzano tutti i processi che avvengono al livello del tuo corpo. È nella natura di ogni essere umano adattarsi alle condizioni ambientali a cui è sottoposto per un periodo di tempo più o meno lungo.

Sebbene non abbia mangiato cibo fisico per diverse ore, questo non significa che il tuo corpo non si nutre di altri tipi di energie sottili che contribuiscono a sostenere il tuo stato di equilibrio. Sicuramente ti è capitato lungo la vita, a seconda del tuo umore, di non mangiare per ore, ma non ti senti in alcun modo affamato o debole. In quei momenti, ti sei semplicemente nutrito principalmente di energie sottili che erano alchimizzate e calibrate in termini di dinamica e densità per soddisfare le esigenze e le necessità del tuo corpo.

Pronunciando spesso parole con senso negativo, diventi una persona prevalentemente critica, rigida, pessimista, testarda con un morale basso, con una forza vitale diminuita, che rifiuta molte delle opportunità che attrae o che potrebbe attirare. Essendo pessimista, complichi la tua vita e diventi un ostacolo per chi ti circonda. Pensa alla vita di coloro che, qualunque cosa vogliano materializzare, spesso sentono parole di scoraggiamento.

Hai mai pensato all'effetto cumulativo che hanno con il trascorrere del tempo le parole che continui a pronunciare?

Anche quando hai finito di mangiare, che senso ha dire *Non posso più* o *Mi sono saziato*? Queste affermazioni sembrano perfettamente naturali, ma ripetendole possono portare dei limiti, sebbene esprimano una certa realtà del momento e possano altrettanto essere sostituite dal silenzio o da altre parole come *Il mio corpo si sente grato per questo cibo* oppure *Ho mangiato tanto quanto dovevo*.

Dicendo spesso *Non ho mai pensato a …* oppure *Come dovrei sapere queste informazioni?*, ti condizioni in modo tale che le tue idee vengano con difficoltà.

Supponiamo che qualcuno si trovi ad una certa distanza da te e ti dica qualcosa, e tu ti affretti a rispondere, *Non ti sento* oppure *Non capisco quello che dici*. In una situazione del genere, è meglio dire *Ripeti, per favore*.

Non importa se qualcuno parli lentamente o ad alta voce, a un livello sottile, la tua *energia* riceve completamente qualsiasi messaggio. Quando affronti la situazione in cui credi di non aver sentito ciò che gli altri ti stanno dicendo, in realtà sei distratto e troppo poco consapevole di ciò che ti sta accadendo oppure a coloro che ti circondano.

Ripetendo lungo la vita una serie di affermazioni come ad esempio *Non ho sentito, Non ho visto, Non ho sentito, Non mi sono reso conto* ecc., stai modellando il tuo corpo affinché diventi sempre meno sensibile.

Benché gli occhi fisici non abbiano decodificato perfettamente l'immagine che hai guardato, la tua energia è tutt'uno con l'energia ovunque. Pertanto, non c'è nulla che non sia percepito a un livello sottile e sperimentato in modo multidimensionale.

Forse ti sei spesso sorpreso a usare espressioni che hai sentito da quando eri un bambino, ma hai omesso il fatto che sono molto più di una semplice espressione. Ad esempio, alcune persone dicono: *Il mio cuore gioisce appieno, Il mio cuore è diventato piccolo, Il mio cuore si è fermato, Avevo paura che il mio cuore mi saltasse in gola, Ho il cuore spezzato, Il mio cuore si è spezzato in due, Stavo per avere un infarto quando mi ha dato la notizia*. Ognuna di queste espressioni influisce sulla salute e sulla configurazione geometrica del cuore, sebbene apparentemente le abbia usate in modo diverso. Se le persone si sentissero tra di loro oltre le parole, percepirebbero più chiaramente la complessità delle diverse forme di energia *pensiero - emozione* create ed emesse.

Anche quando pronunci: *I miei genitori hanno avuto la malattia X, quindi è molto probabile che lo faccia anch'io*; *Ormai sono vecchio, quindi mi aspetto che la mia vista peggiori*; *Non sono ancora impazzito*; *Mi stanco molto rapidamente*; *Non mi sento molto bene*, stai programmando di crearti secondo le tue parole.

Quelli che affermano: *Spero di non ammalarmi*; *Spero di stare bene*; *Spero di esserci domani*; *Spero di vedere i miei figli grandi*; *Se guarirò, lo farò ...*; *E se per caso dovesse succedermi quello che è successo a lui ...?*; *Forse domani mi sentirò meglio*, in realtà sono insicuri del potere e della salute che esprimono. Non sapendo cosa porterà loro il domani, creano ogni tipo di pensiero e sperano che non accada loro qualcosa di brutto.

Molti di loro scelgono di essere prevalentemente negligenti, irresponsabili e incuranti della propria vita. Inoltre tendono a non essere troppo coinvolti con sé stessi e di non agire al momento giusto quando si intersecano con sincronicità diverse che possono guidarli verso la crescita. Un tale atteggiamento li induce a materializzare la malattia come un'espressione del loro decadimento. Spesso agiscono in modo meccanico, d'impulso oppure persino guidati dalle voglie malsane che hanno prendendo misure secondarie sulle ripercussioni delle loro azioni. Nello specifico, prendiamo l'esempio di una persona la cui vista sta progressivamente peggiorando a causa dell'inflessibilità e del modo superficiale e distorto in cui sceglie di percepire e vedere chi gli sta intorno. Essendo allo stesso tempo fermamente convinta che, invecchiando, la sua acuità visiva diminuisce, calibra la sua configurazione energetica delle particelle di vita che la compongono in modo tale da materializzare la sua fede ancora più intensamente. Benché si preoccupi per la condizione che sta affrontando e speri che le sue condizioni non peggiorino, non fa molto per mantenere la sua salute e prevenire eventi spiacevoli o per crearne di più soddisfacenti. Alla fine, è costretta a indossare occhiali o sottoporsi a un intervento chirurgico per migliorare la sua vista.

Ogni volta che usi le parole *spero*, *se* o *forse*, esternalizzi il fatto che non sei sicuro delle tue azioni, del modo in cui esprimi il tuo potere creativo, della conoscenza che è tutt'uno con te. Pertanto, accentui la tua convinzione che ci sia la possibilità che gli eventi che si verificano nella tua vita possano prendere svolte inaspettate. Man mano che evolvi, ti prendi più cura del tuo corpo, conosci e senti più informazioni, e invece di dire *Spero che ...*, hai la certezza che le direzioni su cui ti stai concentrando avverranno esattamente come le avevi immaginate.

Dicendo: *Mi piace mangiare molto, Sono molto goloso, Sono abituato a mangiare molto salato, Non riesco a resistere senza mangiare carne ad ogni pasto*, ti accingi a sovraccaricare spesso il tuo tratto digestivo e fai eccessi che, per ripetizione, hanno un effetto distruttivo.

COSA SUCCEDE QUANDO IMITI

Ti sei mai chiesto cosa succede nei momenti in cui imiti le parole e il comportamento di altre persone con cui ti identifichi e nei cui confronti non ti mantieni centrato e in armonia?

Imitare comporta calibrare sottilmente te stesso alle frequenze generate dalla persona che scegli di copiare. Ad esempio, spesso imitando il modo di essere delle persone che apprezzi e a cui vorresti somigliare, inizi a parlare, a comportarti e ad avere un atteggiamento di una persona felice e realizzata, alla quale vengono spontaneamente una moltitudine di idee straordinarie con riferimento a come materializzare ancora più abbondanza. Un altro esempio è quando imiti una persona che è malata o ha una coscienza inferiore alla tua. In questa situazione, è molto probabile che disturbi il tuo stato e decadi dal punto di vista della luminosità che esprimi. L'atto di imitazione può essere visto da un'altra prospettiva, secondo la quale il tuo comportamento denota che rifiuti e giudichi quella persona per qualche motivo, rispettivamente che permetti a determinate circostanze di persistere, anche se ti infastidiscono e non sono in linea con quello che senti e vorresti sperimentare.

Il semplice fatto di imitare te stesso la persona del passato, quando avevi un certo tic nervoso o quando ti comportavi in modo prevalentemente distruttivo e poco piacevole, può dare forza a quelle parti di te che hanno generato quelle manifestazioni e sorprenderti apparendo allo stesso modo.

Quando dici di voler assomigliare a una certa persona sotto diversi aspetti, ti calibri al modo in cui quest'ultima vibra, in modo tale da esprimere qua e là le sue peculiarità. Inoltre, ogni volta che imiti i gesti o il comportamento di qualcuno, non significa che perdi completamente la tua unicità. Qualunque cosa tu faccia, rimani comunque autentico.

Le caratteristiche di ognuno di noi hanno la loro storia. Perché voler modellarti secondo la storia della vita di qualcun altro, quando potresti creare la tua in modo molto più bello?

Sebbene l'imitazione di persone forti e felici possa essere costruttivo, hai mai pensato al fatto che se abbracci la tua unicità, puoi andare molto più lontano?

APPREZZARE IL SENTIMENTO
DELLA LIBERTÀ

Più spesso dici *Mi sento in debito con ...* o *Devo assolutamente rimettere a posto le cose nei confronti di ...*, più intensamente vibri sulle frequenze del debito. Ad un certo punto, queste affermazioni ti vengono in mente e finisci per usarle meccanicamente, senza una buona ragione. Sentendoti indebitato, rafforzi i tuoi sentimenti e le convinzioni secondo cui non appartieni più a te stesso. Questo atteggiamento significa, metaforicamente parlando, *cedere* a poco a poco davanti agli altri e finire per vivere di più per gli altri e meno per te stesso.

Dire a qualcuno solo per scherzo *Sei in debito con me*, significa indurre un falso sentimento di indebitamento e un relativo stato di tensione, perché ogni battuta ha un fondo di verità, non importa quanto esso sia piccolo.

Prendiamo il seguente esempio: supponiamo che ogni giorno tu debba incontrare una persona al lavoro a cui semplicemente non piaci, nonostante non abbia commesso alcun errore nei suoi confronti, e anche se la saluti sorridendo, non solo non restituisce il tuo sorriso, ma a volte non ti risponde nemmeno. A prima vista, potresti dire che non vale la pena continuare a mostrare la stessa apertura e apprezzamento per questa persona, e ad un certo punto potresti pensare che ha il dovere di comportarsi in modo simile a te, visto la bella maniera in cui ti sei comportato.

Se ti comporti bene con qualcuno, non farlo pensando che quella persona debba rimanere in qualche modo in debito con te. È preferibile agire il più possibile secondo i tuoi sentimenti più alti. Benché alcune persone non possano e non sappiano apprezzarti e vederti per come sei, sii sicuro che l'esistenza ti ridarà infiniti altri sorrisi e saluti.

Ritenendoti indebitato, è ovvio che configuri la tua geometria in modo tale da attrarre situazioni in cui ti senti in debito con gli altri.

Probabilmente quel bene che ti è stato regalato era la ricompensa che hai attratto per certe buone azioni che hai fatto una volta. Perché considerare sempre la tua ricompensa come qualcosa di cui è obbligatorio sdebitarti? Perché credere, in maniera assoluta, che qualsiasi gioia che qualcuno ti ha portato debba essere ricompensata immediatamente e non sentire il momento giusto e la forma di vita alla quale offrire da quello che hai da regalare?

D'altronde, il modo in cui le persone che ti circondano si relazionano con te è un riflesso delle tue azioni e del tuo comportamento. Se le persone si comportano bene e mostrano amore nei tuoi confronti, è pure merito tuo, perché anche tu, a tua volta, regali all'esistenza momenti meravigliosi attraverso i quali porti agli altri il sorriso sulle labbra e la scintilla nello sguardo.

Il sentimento del dovere è quello che ti fa sentire appesantito e non libero. Invece di sentirti in debito, mostra piuttosto rispetto, gratitudine e apprezzamento per la vita ovunque e implicitamente per coloro che ti hanno portato e continuano a portarti un valore aggiunto. Regala per pura esperienza, ma non condizionato dal pensiero di dare nella stessa misura.

Quando prendi una decisione che si rivela vantaggiosa per te, ti sei chiesto perché non ti senti in debito con te stesso, sebbene tu abbia dato un contributo significativo a ciò che hai concretizzato? Allo stesso tempo, quante volte ti sei sentito in debito con te stesso e quante volte ti sei sentito in debito con gli altri?

Quindi, se non percepisci più chi ti aiuta come essendo isolato da te, capiresti che l'aiuto che ti offre, infatti, lo offre a sé stesso, così come quello che ti dà, lo dà a sé stesso. Una tale consapevolezza nasce da uno stato di *essere* molto più puro, in cui l'ego non prevale più così tanto, bensì il sostegno reciproco.

L'ABITUDINE DI LAMENTARSI

Quando pensi di liberarti, stai in realtà caricando altri...

Sicuramente hai incontrato persone che sono abituate a raccontare i loro problemi personali, nei cui confronti si sentono ancora molto attaccati, nell'idea che così diminuirebbero la tensione che provano. Non capiscono che così facendo caricheranno gli altri con la valanga di energie a bassa frequenza che scelgono di esprimere. Essendo identificati e sofferenti, guardano agli eventi della loro vita troppo da vicino, senza essere in grado di comprendere il quadro generale. Sono nella posizione in cui credono e sentono che le situazioni sfuggono al controllo e non sanno come gestirle in modo tale da rimanere in un certo stato di equilibrio.

Sebbene il presente non offra loro alcuna ragione

plausibile per arrabbiarsi, quando iniziano a raccontare i loro problemi, si collegano alla loro versione del passato e ai momenti che li hanno causati sofferenza, e quindi continuano a soffrire.

Invece di lasciarsi andare e permettersi di godersi i momenti che stanno vivendo, si attaccano ai ricordi del passato e alla percezione secondo sono oppressi dai problemi che accumulano.

Con ogni singola esperienza, accedi a una moltitudine di informazioni, ma dipende da te come relazionarti ad esse e se scegliere, attraverso di esse, di sentirti più appesantito o più libero.

Parlando dei momenti che hai provato e per i quali continui a sentire ansia, puoi determinare il tuo interlocutore di connettersi ad essi e in questo modo metti la tua impronta su di lui. Se non parlassi più dei problemi del passato, ti libereresti da molti pesi.

Nella misura in cui ti identifichi con i problemi degli altri, in considerazione del fatto che tu, a tua volta, affronti situazioni simili, ti colleghi alla dimensione energetica delle esperienze di cui essi si lamentano e vivi in percentuali diverse le sofferenze che hanno attraversato o che ancora stanno affrontando.

Prendiamo l'esempio in cui una persona vicina ti chiama ogni volta che è arrabbiata, turbata o preoccupata, per confidarsi con te e per liberarsi. Se non sei abbastanza concentrato e prendi facilmente le energie negative di coloro con cui comunichi e ti circondi, facendoli sentire meglio, significa che inconsciamente ti ritrovi nell'ipostasi di essere il sacco da boxe o il giocattolo contro lo stress per gli altri. Non è affatto vantaggioso per te dare dalla tua brillantezza, che ancora sottoscrivi alla limitazione. Caricarsi delle energie dense degli altri porta alla diminuzione della luce che crei, al disturbo dei tuoi sentimenti e alla deformazione del modo in cui percepisci la vita.

Probabilmente ti è capitato di procedere allo stesso modo, senza renderti conto di quello che fai, ma perché pensi subito dopo aver sperimentato una condizione di bassa frequenza chiamare gli altri per lamentarti e disturbare anche la loro condizione? Perché non chiamarli solo dopo aver riflettuto sulla situazione e trovato le giuste soluzioni in modo che possano imparare qualcosa da te?

Quando ti lamenti, non sei un esempio, ma quando condividi il modo saggio in cui hai agito, lo diventi.

Ognuno di noi ha la sua parte nel contribuire all'ascesa o alla caduta dei sentimenti e dello stato di della salute delle persone nella nostra vita. Tu come scegli di creare le persone che fanno parte della tua vita?

Hai mai pensato che fai del male a coloro a cui ti stai lamentando? Nella misura in cui si identificano con la situazione in cui ti trovi o con la relazione che hanno con te, diventano tesi e soffrono a causa della percezione della tua densa energia.

Nessuno vorrebbe che il vicino di casa gettasse la spazzatura oltre il recinto, ma molti consentono ancora ad altri di *cospargerli* con una serie di parole pronunciate in un momento di odio, rabbia o disperazione, che abbondano di densità e che li rendono *sporchi* e li disturba in termini di energia.

Anche dare dei pugni al cuscino, sebbene sia considerato una forma di terapia, comporta di caricare il cuscino con vibrazioni a bassa frequenza, e quando lo tocchi e ci metti la testa sopra, calibri la tua energia in base alle informazioni che hai impregnato in esso. Non importa quanto scarichi in questo momento, la causa della rabbia non scompare ed è molto probabile che, poco dopo un episodio del genere, ti abbandoni in stati simili. Ecco perché è importante lavorare sulla causa, non sugli effetti. È preferibile che invece di scaricare e caricare densamente altre forme di espressione energetica, lavori con te stesso in modo tale da comprendere la causa del tuo nervosismo. La trasformazione avviene nella misura in cui comprendi la natura di quel qualcosa che stai approfondendo.

Ci sono persone che hanno preso l'abitudine di lamentarsi di non essere in grado di gestire la propria vita. Non fanno altro che parlare della modalità in cui percepiscono in maniera limitata i propri problemi che attraggono e che spesso creano da soli. Sprecando il loro tempo condividendo meccanicamente il loro tumulto interiore e concentrandosi su ciò che devono trasmettere, tendono a ignorare i preziosi consigli che ricevono. Non essendo abbastanza aperti in relazione a ciò che la persona accanto a loro deve comunicare loro, la maggior parte delle informazioni che ricevono passa attraverso le loro orecchie, perché in realtà stanno pensando a cos'altro hanno da dire in modo tale da non omettere alcun dettaglio.

Nel caso in cui dai corso ripetutamente a tali situazioni, non fai altro che restare bloccato per un certo periodo di tempo in un cerchio a bassa vibrazione, soprattutto perché queste persone non sono abbastanza ricettive all'idea di diventare una versione migliore di loro. Mentre risuoni con la loro visione sulla vita e a seconda delle tue debolezze, puoi gradualmente calibrarti sulle onde di energia che esse emettono e somigliare loro sempre più, anche se inizialmente eri più equilibrato.

Non è assolutamente sbagliato parlare a qualcuno della sofferenza che stai vivendo, ma è più utile concentrarti sull'evoluzione, in modo tale da esprimere la comprensione che ti farà smettere di soffrire.

Seguire il consiglio di qualcuno che non sente ciò

che è appropriato per la tua unicità significa non agire secondo le tue esigenze.

Spesso, quando viene chiesto aiuto, le persone iniziano a mettersi nei panni di chi soffre, e quindi la chiarezza dei loro sentimenti e delle loro prove è parzialmente compromessa. Invece di dirti come sarebbe più appropriato che tu procedessi, ti dicono come procederebbero loro, e ciò non è molto utile, soprattutto se il modo in cui si relazionano all'esistenza è ristretto e inceppato da una moltitudine di percezioni e pregiudizi.

I processi rivelatori che hai derivano dal tuo essere. Affinché le azioni che intraprendi siano benefiche per te, è importante ampliare i tuoi orizzonti di conoscenza e seguire la tua intuizione in modo da non finire nella posizione di sbagliare solo perché così ti hanno detto gli altri di fare.

Nessun genitore vorrebbe vedere il proprio bambino ammalato, ma nonostante ciò, il bambino spesso interpreta il ruolo di giocattolo antistress e riceve insulti e urla senza motivo. Non c'è bisogno di prendere a schiaffi o a pugni qualcuno per ferirlo, perché una sola parola può ferirlo altrettanto, o forse molto di più.

Immagina che ogni insulto e ogni parola pronunciata in un momento di rabbia sia simile ad un chiodo in una porta. Anche se viene rimosso, il chiodo lascia un segno dietro di sé. Allo stesso modo accade con le tracce degli insulti e delle azioni sconsiderate: puoi anche chiedere scusa oppure rimpiangere le parole dette, esse lasciano comunque un segno. Puoi dire migliaia di belle parole al posto di una parola impregnata di odio che hai detto una volta, ma le sue tracce rimangono sotto forma di ricordi come un'eco nel *continuum*.

*Il filo del flusso delle tue esperienze
si intreccia ed è uno con il filo del
flusso delle esperienze di tutte le
forme di vita esistenti.*

Capitolo 4

FIL FLUSSO E LA DINAMICA DELL'ENERGIA

L'energia ha il potenziale di fluire in un numero infinito di modi a seconda di ciò che esprimi mentalmente ed emotivamente, delle attività che intraprendi (artistica, sportiva, immaginativa, intellettuale), di dinamica dell'energia delle persone che ti circondano, queste ultime imprimendo alcune caratteristiche al corpo fisico. Per esempio:

- ✓ la saggezza si legge dallo sguardo e dal comportamento;
- ✓ la felicità dona serenità, freschezza e giovinezza al viso;
- ✓ la sfiducia nelle proprie forze genera gesti esitanti;
- ✓ la testa chinata e lo sguardo abbassato può essere l'espressione di uno stato interiore di sottovalutazione e sottomissione;
- ✓ la sofferenza e lo stress accelera l'invecchiamento e favorisce la comparsa e l'accentuazione delle rughe;
- ✓ i tic nervosi sono l'espressione di una gestione

inefficiente dello stress e del nervosismo.

Il ballerino professionista esprime grazia ed eleganza attraverso ogni gesto. C'è una grande differenza tra una danza realizzata da uno stato che implica sforzo, fatica, competizione, confronto, ripetizione meccanica e una realizzata da un'esperienza intuitiva e pura. Quest'ultima non può essere appresa in alcun modo, essendo l'espressione dell'*unicità* che senti.

Man mano che diventi consapevole della danza che il tuo corpo sta eseguendo, compaiono attivazioni al livello energetico con l'aiuto delle quali riesci a manifestare sempre di più il tuo potenziale infinito. Quando ti muovi o balli da quello che senti, sei più energico e più felice, ti alimenti di forme di energia ad alte vibrazioni, e il flusso di energia che scorre attraverso il tuo essere scorre più armoniosamente, in modo da soddisfare i bisogni di tutte le regioni del corpo.

Immagina come il pezzo di argilla ruota nelle mani dell'artista vasaio che lo plasma e lo porta alla forma desiderata. Lo stesso accade con quella che chiamiamo materia, la forza centrifuga essendo la dinamica delle energie sottili sia proprie che circostanti, mentre le mani dell'artista sono rappresentate dalla coscienza delle particelle di vita che contribuiscono alla sua continua creazione.

Le dinamiche della tua energia sono più o meno calibrate sulle dinamiche dell'energia delle persone intorno a te. Ad esempio, circondarti di persone ricche, felici e belle, diventi sempre più fedele a loro. Il tuo pensiero ti plasma e ti determina a materializzare più abbondanza e felicità.

Se ti circondi spesso di persone malate o molto anziane, le cui dinamiche sono così basse da portare ad un deterioramento accelerato della loro materia, allora anche il tuo corpo intensifica progressivamente il suo degrado in quanto non sei abbastanza concentrato e tendi a soffrire e ad identificarti con le sensazioni di basse vibrazioni degli altri.

Cosi come una persona anziana ringiovanisce in un ambiente pieno di giovani che abbonda di freschezza e gioia, così i giovani invecchiano più velocemente in un ambiente dove predominano rigidità e sofferenza. Queste trasformazioni sono facilmente visibili tra le persone, ma la dinamica dell'energia che ci compone influenza non solo gli esseri viventi, ma anche il resto delle forme di energia che ci circondano, siano esse edifici, oggetti o cibo.

Quando tocchi la mano di qualcuno o stai vicino a una persona, come risultato dell'interazione e fusione delle tue dinamiche e della sua dinamica, ne risulta per ciascuna una nuova dinamica, adattata alla coscienza di entrambi.

Nella situazione in cui non riesci a mantenere un certo equilibrio nella maggior parte del tempo e intuisci come comportarti nelle situazioni che stai attraversando, è preferibile evitare di essere in compagnia di persone che sono molto malate o hanno un livello di consapevolezza molto bassa. Altrimenti ti calibrerai più facilmente a loro e manifesterai anche vari stati spiacevoli, come dolore, stanchezza, agitazione, nervosismo. Non va inteso che i malati debbano essere rifiutati, ma se non sei riuscito ancora ad avere una relativa centratura, è meglio non interagire troppo con loro. Comprendi la realtà, accettala, ma allo stesso tempo non compromettere la tua evoluzione solo perché gli altri hanno scelto e continuano a scegliere di distruggere le loro vite. Ognuno è il risultato delle proprie azioni.

CONTINUITÀ A LIVELLO DEL CORPO

Se guardiamo il modo in cui è costruito il corpo, possiamo vedere che tutto è in perfetto flusso e continuità.

C'è una transizione perfetta tra cellule appartenenti allo stesso tessuto, ma anche tra cellule appartenenti a diversi tipi di tessuti. Ad esempio, il tessuto osseo continua gradualmente con il tessuto cartilagineo che a sua volta continua con il tessuto muscolare.

Tutti i processi che accadano al livello dell'organismo, di divisione cellulare, trasporto di gas, assorbimento, filtrazione o secrezione sono basati sul flusso. Vi è un passaggio graduale tra il corpo e l'atmosfera circostante, in modo che il corpo respira attraverso il naso, la bocca e tutti i pori situati sulla pelle, unghie, capelli, denti ecc., avvenendo degli scambi tra l'interno e l'ambiente. Esiste poi una moltitudine di circuiti energetici che facilitano le interazioni tra ogni organismo e il pianeta, il che ci rende costantemente connessi agli elementi degli ambienti viventi.

Quando due corpi si fondono da un profondo stato di amore e appagamento, vengono creati tra di loro una moltitudine di circuiti energetici attraverso i quali continuano l'uno nell'altro, e quindi si sentono come *uno*. In quei momenti, le loro dinamiche finiscono per essere, per la maggior parte, sulle stesse lunghezze d'onda: il ritmo del respiro e del battito cardiaco diventa simile; le onde elettromagnetiche che creano raggiungono una certa intensità su entrambi i lati; i processi chimici avvengono relativamente all'unisono. Man mano che si manifestano sempre di più come una cosa sola, accade spesso loro di avere momenti di telepatia in cui, semplicemente, conoscono i pensieri l'uno dell'altro; dicono la stessa cosa allo stesso tempo; finiscono per sentire le gioie, l'amore, i sogni l'uno dell'altro.

Anche le cellule sessuali esprimono continuità, garantendo la prole dell'albero genealogico che fiorisce attraverso ciascuno di noi. Ci sono persone che diventano sterili e non possono continuare attraverso i bambini perché:

- ✓ si oppongono al flusso della vita, si rinchiudono dentro di esse e si oppongono alla loro *fioritura*;

- ✓ affondano troppo spesso in stati di tensione e stress;

- ✓ reprimono intensamente i loro bisogni e inibiscono i loro sentimenti;

- ✓ si soffermano a lungo in stati di bassa vibrazione;

- ✓ tendono a rifiutare le loro gioie, credendo di non meritarle;

- ✓ sono negative e si oppongono agli aiuti o ai consigli degni di considerazione;

- ✓ sono testarde ed egoiste, credendo che tutto giri intorno a loro;

- ✓ non piace regalare e regalarsi;

- ✓ mostrano resistenza in termini di adattamento all'ambiente in cui si trovano e alle situazioni che devono affrontare;

- ✓ hanno un basso livello di energia, di conseguenza hanno meno da trasmettere ecc.

Il tuo processo di creazione coinvolge anche gli altri e implica apertura, ricettività, rilassamento, sacrificio di sé, abbraccio del potenziale della tua *fioritura*.

Il corpo si fonde e scorre con tutto ciò che lo circonda, in modo tale che: inspira ed espira; nutre ed elimina secrezioni ed escrezioni; sente ed emette suoni; guarda e viene guardato; fa scambi di onde ed informazioni.

Senza flusso e senza continuità, gli organismi non potrebbero esistere.

I BENEFICI DEL MOVIMENTO

Il corpo è *pieno di vita* e sano fin quando vibra intensamente sulle frequenze del flusso e dell'unità. Laddove il flusso e la dinamica sono discordanti, possono verificarsi dolore, punture, rumori articolari o varie altre condizioni che portano alla perdita dei denti, incapacità del follicolo pilifero di creare fili di capelli, la permanenza del sangue in alcuni vasi sanguigni, la permanenza dei liquidi, la scarsa trasmissione degli impulsi nervosi verso varie parti del corpo, la depigmentazione progressiva di alcune regioni della pelle, la guarigione difficile e lenta delle ferite, il rallentamento dei processi di creazione.

È naturale sentire il tuo corpo leggero e rilassato, e ogni movimento che fai ne sia uno piacevole e leggero, come espressione del fatto che abbondi di vitalità.

Quando schiocchi le articolazioni delle dita attraverso varie flessioni ed estensioni, si ottiene effettivamente un riallineamento energetico che consente una distribuzione relativamente uniforme delle energie nella regione delle dita e delle mani. Questo atto può essere considerato una forma rudimentale di armonizzazione delle regioni che servono quell'articolazione, oltre ad aumentare la loro ricettività a catturare le varie forme di energia necessarie alla calibrazione ad una *normalità* molto più alta.

Non va certo inteso che gli schiocchi articolari, le punture e il dolore che provi hanno solo una dimensione negativa. Può succedere che una puntura spontanea e di breve durata ti capiti anche in un punto energetico che si è calibrato ad un livello di luminosità più alto, e dopo questa sensazione inizi a sentire la tua zona molto più rilassata e più piacevole.

Per sapere quale messaggio portano le sensazioni che senti, è importante conoscerti molto bene, e per questo è necessario aumentare il tuo intuito e il tuo livello di consapevolezza.

Coloro la cui densità aumenta progressivamente nel corso della vita raggiungono la vecchiaia nella posizione in cui il loro cuore funziona in modo caotico e sviluppa varie malattie del sistema cardiovascolare. La loro capacità di guarigione finisce per essere compromessa, poiché le cellule coinvolte in questo processo svolgono meno funzioni, hanno proprietà compromesse e non garantiscono più un corso naturale delle fasi di riparazione dei tessuti danneggiati. L'evoluzione delle cellule viene rallentata e la comunicazione e la cooperazione tra di loro diventano meno efficienti.

Il corpo che è pieno di *vita*, anche se è fermo, si trova comunque in un flusso e in una dinamica, entrambi intensi e armonici, ma, tuttavia, ha bisogno di essere messo in moto.

Soffermandoti in una posizione troppo a lungo, il corpo inizia a mostrare segni di disagio, perché costringi l'energia a fluire solo in poche direzioni. Di conseguenza, potresti sentire in alcuni punti dolore, formicolio, intorpidimento, tensione o persino senso oppressione.

Qualunque cosa fatta in eccesso può diventare distruttiva a un certo punto, anche se sembra che tu ne stia beneficiando. Si raccomanda che ogni attività svolta derivi da uno stato di elevata presenza e dall'equilibrio.

Lo stile di vita sedentario rende il funzionamento del corpo sempre più difettoso, il che porta a:

✓ limitazione dell'accesso a varie forme di energia

circostante;

✓ riduzione della vitalità;

✓ aumento della fatica e dell'apatia;

✓ sconforto;

✓ dolori;

✓ rallentare e compromettere i processi di differenziazione cellulare e di costruzione dei tessuti;

✓ ristagno di alcuni fluidi in alcuni punti;

✓ compromettere la mobilità articolare;

✓ la comparsa di varie malattie;

✓ progressiva diminuzione della compatibilità con l'esperienza dell'incarnazione ecc.

Come si può vedere sopra, la dinamica delle cellule rallenta e alcuni elementi e cellule non arrivano più in tempo e nella giusta quantità alla loro destinazione e non svolgono più correttamente le loro funzioni.

Hai mai riflettuto sulla verità che esiste una stretta connessione tra la vitalità, la salute, le dinamiche, la forma e il peso del tuo corpo?

Di solito, le dita dei pianisti sono sottili, il che facilita la loro destrezza e l'elasticità articolare quando suonano il pianoforte. Gli atleti e i ciclisti si sentono pieni di energia, hanno un corpo forte e snello, con una configurazione geometrica che permette loro di muoversi più velocemente e più facilmente. Le persone in sovrappeso, i cui tratti sono voluttuosi, si muovono lentamente, hanno una bassa resistenza e vari problemi di salute.

Non è salutare avere un notevole deposito di grasso, né far crescere artificialmente i muscoli attraverso l'uso di sostanze chimiche.

È normale essere liberi di muoversi armoniosamente come si vuole, senza incontrare alcun impedimento al riguardo.

Il semplice fatto di stancarsi velocemente, di sentire come certe articolazioni ti impediscono di stare seduto in una posizione naturale o di non poter correre per qualche minuto costituisce *un problema* a cui si consiglia porre rimedio.

Nella misura in cui ti muovi, il tuo corpo viene caricato con diversi tipi di energia. In altre parole, il corpo ha la proprietà di trasformare l'energia cinetica nei tipi di energia di cui ha bisogno.

Meno ti muovi, più ti senti stanco e apatico. Se ti muovessi ogni giorno quanto necessario, il tuo corpo avrebbe una dinamica più intensa ed equilibrata, e questo fattore influenzerebbe positivamente la velocità con cui le tue ferite guariscono. Inoltre, potresti eliminare le sostanze di cui non hai più bisogno e le cellule staminali sarebbero indirizzate verso le zone in corso di rigenerazione. Le tue cellule non sarebbero più sottoposte a così tanto stress ossidativo e rimarrebbero giovani, fresche e piene di energia più a lungo. Non va inteso che se corri molto veloce o moltissimo, tutto quanto elencato sopra avviene in maniera accelerata. Correndo in modo caotico consumi più energia di quanta ne accumuli e prosciughi il corpo di alcune delle risorse già esistenti. Se sei caotico all'esterno, anche l'interno si manifesta altrettanto e viceversa.

IL CIRCUITO DEGLI ELEMENTI

Niente di ciò che esiste è perfettamente statico, visto che tutto è *vita*.

Qualsiasi forma di espressione energetica, sia essa cristallo, pietra, albero, insetto o animale, non importa quanto incrollabile possa sembrarti, in realtà è in una dinamica continua a livello molecolare, energetico - informativo ecc. Anche quando dormi, c'è un'attività speciale nel tuo corpo. Gli elementi grossolani (fluidi, gas e particelle solide), così come le energie sottili (pensieri, emozioni, intenzioni) si trovano in un flusso continuo e creazione.

Come ho detto prima, l'energia non può essere distrutta in alcun modo, ma si trasforma solo in un'infinità di altre forme, la disintegrazione essendo un processo complementare alla creazione, a volte è necessaria la disintegrazione per creare qualcosa di nuovo.

Quando l'energia non scorre adeguatamente nel corpo, diminuisce di vitalità, si ammala e diventa meno compatibile con l'esperienza dell'incarnazione.

Gli elementi che compongono la materia considerata *priva di vita*, ma che in realtà sono passati ad un altro stadio dell'esistenza, finiscono per subordinarsi ad altri circuiti, oscillare per quanto riguarda la riduzione e l'aumento della loro dinamica, alchimizzarsi e *reintegrandosi* negli habitat esistenti e divenendone poi parte da altri organismi viventi. Ad esempio, in una foresta, I rami e le foglie caduti, così come i corpi senza vita di animali e insetti, si decompongono e si trasformano, e gli elementi che li compongono continuano a fluire ed essere trasportati nella natura, così che in seguito, finiscono per diventare fonte di cibo ed energia per altri esseri viventi.

Tutto ciò che esiste fa parte di un circuito infinito, senza inizio e senza fine.

COME CI DETERMINANO GLI OGGETTI

La dinamica della tua energia si adattano anche agli oggetti che hai e con cui entri in contatto.

Se la professione che svolgi consiste nel maneggiare

un determinato strumento o dispositivo come un bisturi, un pianoforte, un violino, un pennello o una macchina fotografica, allora ti addestri in modo tale da essere al massimo del suo potenziale.

Avendo a portata di mano i dispositivi di ultima generazione, le persone che lavorano nel settore IT sentono di innovare ancora di più, per portare un valore aggiunto a questo settore.

Chi ha acquistato fucili sente più forte il bisogno di distruggere, di uccidere esseri oppure ha paura di essere ferito con la propria arma.

Alcuni possessori di fortune impressionanti aspirano ad averne ancora di più, poiché sentono di poter materializzare ciò che si sono prefissati di fare. Al contrario, i poveri tendono a porre barriere nella loro evoluzione personale, sentono di non averne mai abbastanza e si identificano intensamente con le carenze e le inadeguatezze del momento.

Chi si veste con abiti strappati, vive in una casa modesta in quartiere povero, ha una bicicletta rotta o un'auto dall'aspetto degradato, mangia a basso costo e in modo malsano, non può provare autostima, amore e fiducia in sé stesso. Di conseguenza, abituandosi alla povertà materiale, finisce per diventare modesto anche dal punto di vista della profondità e della complessità dei sentimenti e delle aspirazioni. Invece, coloro che crescono in un ambiente prospero riflettono raffinatezza e prosperità attraverso gesti, espressioni facciali, pensiero, linguaggio ecc.

In alcuni casi, vi è una forte connessione tra gli oggetti che vedi spesso e le relazioni che attiri e costruisci. Ad esempio, entrando sin dall'infanzia nell'universo dei libri che i tuoi genitori o nonni ti regalano da bambino, potresti sviluppare un intenso desiderio di leggere e studiare. Quindi, quando sei messo nella posizione di scegliere il tuo compagno di vita, tendi a sentirti attratto da quella persona con cui cresci nella conoscenza e che, a sua volta, si sente attratto dai libri. Qualsiasi gesto apparentemente insignificante compiuto dai tuoi genitori può cambiare il corso della tua vita e dare una direzione completamente diversa all'albero genealogico che fiorisce attraverso di te.

In altri casi, c'è la possibilità di costruire le tue relazioni proprio attraverso il prisma degli oggetti che non hai e di cui ti senti privato, anche se li vuoi ardentemente. Ci sono persone che vogliono avere vestiti e macchine costose, vivere nel lusso, e trasformarsi così in cacciatori di persone influenti con cui costruire in modo superficiale rapporti basati sugli interessi. Invece di considerare la compatibilità e il carattere di coloro con cui vogliono stare, si concentrano principalmente su ciò che possono ottenere materialmente, per poi affrontare la situazione in cui si sentono infelici e vuoti dentro. Benché sembrino trovare soddisfazione ogni volta che soddisfano il loro desiderio di crescere in prosperità ancora più profondamente, decadono su altri livelli a cui non prestano attenzione.

Per avere relazioni che ti soddisfano, devi conoscere te stesso sempre meglio. Attiri il tuo partner in base al modo in cui vibri e in base alle convinzioni che già hai, a ciò che hai da offrire e a ciò che vuoi portare nella tua vita. Maggiore è la compatibilità tra te e il tuo partner, meglio ti rispecchia e si adatta alla densità della materia che compone il tuo corpo, i tuoi sentimenti, i sogni, i desideri e le esperienze, l'ambiente in cui vivi, la tua famiglia e così via.

D'altronde, la tua dinamica cambia a seconda della persona con cui vuoi formare una coppia, in modo tale che col passare del tempo le somigli sempre di più, in caso contrario l'incompatibilità sarebbe pronunciata.

Prendiamo l'esempio di un uomo che ha vissuto tutta la sua vita in uno quartiere povero in cui ha imparato una varietà di modelli comportamentali specifici della mediocrità. Se dovesse andare in un quartiere prospero, potrebbe incontrare una ragazza con uno status più elevato da amare, ma finché continuasse ad essere incompatibile con le frequenze di prosperità che vibra, non sarebbe in grado di conquistarla. Una persona può passare da un ambiente povero a uno ricco, ma se si sente altrettanto povera non riesce a migliorare troppo la sua situazione.

Generalmente parlando, se ti senti povero non solo dal punto di vista economico, cosa daresti a una persona che si sente ed è abbondante? Come potresti completarlo e per quali motivi sarebbe attratta da te?

L'IMPORTANZA DI ESSERE FLESSIBILI

L'insieme delle emozioni, dei pensieri, delle scelte e delle sincronicità che hai attratto e creato, continua a formarsi in ogni momento, visto che nessuna azione passata è perfettamente compiuta, la sua eco restando per sempre.

Tutti gli eventi che ti accadono durante la tua vita fluiscono l'uno dall'altro. Inoltre, il filo del flusso delle tue esperienze si intreccia ed è uno con il filo del flusso delle esperienze di tutte le forme di vita esistenti, perché nulla accade perfettamente in modo isolato.

Ad esempio, non puoi passare improvvisamente da una situazione economica mediocre alla condizione di un uomo ricco. Per fare questo salto è necessario:

- ✓ concentrare la tua attenzione sul diventare ricco su quanti più livelli possibili;
- ✓ sentirti già prospero, così da vibrare intensamente

sulle frequenze della prosperità;

✓ andare oltre i limiti e le incapacità che hai acquisito;

✓ rinunciare alle abitudini e ai modelli comportamentali caratteristici delle persone povere;

✓ investire nei punti di forza e nelle qualità che possiedi;

✓ essere consapevoli della strada che è necessaria essere creata, in modo che tu possa riuscire a donare quella cosa preziosa che hai da offrire;

✓ sviluppare la tua disciplina interiore e la fiducia nel tuo potere di manifestare abbondanza;

✓ formare principi con cui evolversi in modo armonioso;

✓ ascoltare la tua intuizione, in modo da fare le scelte giuste ecc.

In termini di intenzioni, desideri e sogni che hai, sei influenzato dalle onde energetiche che appartengono al tuo futuro, un futuro che continua ed è tutt'uno con il futuro di qualsiasi altra forma di vita esistente.

Essere nell'*adesso* presuppone che nel momento presente tu sia consapevole della perfetta fusione tra le energie del passato e quelle del futuro, il presente essendo l'espressione della loro fusione.

Coloro che pensano molto al passato e finiscono per vivere il loro presente sulla base delle esperienze accadute una volta ignorano i modi in cui possono plasmare le energie del futuro. Può portare loro infinitamente più gioie e soddisfazioni di quelle che il passato ha portato loro. Le dinamiche dell'energia di queste persone diventano simili a ciò che avevano nei momenti che spesso rivivono con l'aiuto dei ricordi, e talvolta questo decade, perché danno origine agli stati negativi in cui affondano. Metaforicamente parlando, scelgono di vivere in una scatola di ricordi, resistendo al flusso e trascurando il fatto che al di là di esso ci sono molte esperienze meravigliose che possono essere sincronizzate. Essendo testardi e prevalentemente inflessibili, sono sempre infelici, perché contrastando il flusso, soffrono.

Spesso guardarsi indietro è come essere su un sentiero, e invece di guardare avanti, scegli di guardare indietro, il che ti fa perdere la concentrazione sulla strada e inciampare su ogni sorta di ostacoli.

L'acqua offre a tutti noi un esempio di cosa significa:

- ✓ farsi strada attraverso gli ostacoli e addirittura superarli, a seconda dei casi;

- ✓ non considerare le persone come muri quando si tratta di dire loro come ti senti, ma credere nelle tue forze in modo da poterle penetrare con i tuoi sentimenti e le tue parole;

- ✓ adattarsi alla situazione che stai attraversando, ma allo stesso tempo modellarla secondo te;

- ✓ essere flessibile e trasformarti facilmente, indipendentemente dall'ambiente in cui ti trovi;

- ✓ allargare i tuoi orizzonti e consentirti di abbracciare il più possibile;

- ✓ guardare e andare avanti e fluire verso nuove esperienze;

- ✓ capire che sei nutrito in ogni momento da una moltitudine di *fonti* e che sei *la fonte* di altre forme di vita;

- ✓ fluire verso nuove esperienze che anch'esse fluiscono insieme a te;

- ✓ mantenerti chiaro o provare disturbo a seconda delle circostanze;

- ✓ soffermarsi in varie pose o fluire;

✓ rispecchiare l'esterno che si trova in continua evoluzione;

✓ brillare, indipendentemente dalle circostanze ecc.

Chi ha preso l'abitudine di opporsi alla propria crescita e alle esperienze che attira, non fa altro che trovarsi in uno stato in cui predominano la sofferenza e l'insoddisfazione.

Uno degli approcci piu adeguati che puoi avere quando guardi al tuo passato, presente e futuro è quello di abbracciarli e accettarli, dato che sei stato, sei e sarai per la maggior parte il creatore della vita ma non sei l'unico. Diciamo questo perché siamo *tutti* la stessa *energia* e ci determiniamo *a vicenda* mentre risuoniamo come livello di consapevolezza.

Ciascuna esperienza che ti è capitata in questa vita, sia essa piacevole o spiacevole, è diventata parte di te. Se mostri rifiuto della sofferenza che provavi una volta, stai effettivamente rifiutando le parti di te stesso che contengono le informazioni di quei momenti, amplificando così il tuo senso di isolamento. Come sentirsi meravigliosi e pieni di *vita* finché ti fai del male?

Avendo molti rimpianti e mostrando odio e rifiuto di vari aspetti della tua vita, ti limiti e odi te stesso in qualità di creatore. La tua creazione è tanto più *completa*, così come sono l'amore e l'accettazione che regali all'esistenza e, implicitamente, a te stesso.

Ogni volta che volevi che certe esperienze passate sparissero, da un lato ti sei pentito, rifiutato e rinnegato, e dall'altro non sei entrato nelle profondità di quei momenti che, tra l'altro, hai attirato a spingerti a manifestare una conoscenza complessa.

Il tentativo di scappare o nasconderti dal tuo passato, dai ricordi che ancora ti disturbano e ti fanno provare uno stato di sofferenza e disagio, ti fa vedere che non sei ancora guarito dalle ferite interiori. Di conseguenza, continuano a emergere finché non arrivi ad accettarli e consentire a te stesso di aprirti a nuove esperienze.

Una volta capito che qualunque cosa tu abbia scelto una volta era appropriata per il livello di conoscenza, comprensione e sentimento che avevi in quei momenti, non cerchi più motivi per essere arrabbiato o furioso con te stesso.

Per avere il minor numero di rimpianti possibile sarebbe opportuno:

- ✓ agire da uno stato di alta presenza;
- ✓ affrontare ogni situazione dalla prospettiva delle parti più sagge di te;
- ✓ coinvolgerti in ogni momento in modo tale da essere contento delle scelte e delle azioni che fai;
- ✓ apprezzare *la vita* e gioire perché *ci sei* ecc.

Puoi guardare il tuo passato come un maestro che ti mostra a quali aspetti devi prestare maggiore attenzione per migliorarli. Scegli se continuare a soffrire per qualcosa che è successo una volta o decidere di creare il tuo futuro sempre più consapevolmente, rimanendo *fedele* al momento presente.

È molto più prezioso concentrare la tua attenzione sulla crescita su tutti i livelli che su ciò di cui ti penti e credi, per mancanza di conoscenza, che sia non era conforme a ciò di cui avevi bisogno, sia non era come volevi che fosse.

Nessuna delle esperienze che attiri è strettamente negativa. In termini duali, ognuno di noi è un insieme di energie positive e negative. Quando affronti una certa situazione, questa è l'espressione di tutto ciò che sei, che comprende aspetti sia positivi che negativi. Se noti quella situazione da una prospettiva generale, scopri che è pure vantaggioso per te, nel senso che ti aiuta a essere più concentrato, più forte e più saggio, ma persino il fatto che da essa decorrono una moltitudine di altre esperienze che possono portare un valore aggiunto e felicità alla tua vita.

L'ottimista sceglie di vedere soprattutto il lato positivo, mentre il pessimista osserva soprattutto il lato negativo, ma entrambi rifiutano la realtà, che presume che qualsiasi coppia di polarità avvenga in modo sincrono e abbia il potenziale per suscitare sentimenti complementari in ciascuno di noi.

L'ottimismo fa bene alla salute, è fortificante nella misura in cui ti aiuta a uscire dallo stato momentaneo di sofferenza e fare il salto quantico verso uno stato più elevato dell'essere. Invece, può essere distruttivo nel momento in cui si trasforma in una bugia. Nello specifico, puoi guardarti allo specchio ogni giorno e dire a te stesso che tutto è meraviglioso, che sei felice, amato e in salute, anche se la tua realtà è completamente diversa. Le affermazioni positive sono rinvigorenti e utili quando fai del tuo meglio per mettere in pratica ciò che dici e lavorare con i tuoi pensieri e le tue emozioni in modo tale da crescere.

L'esistenza offre a ciascuno e gli toglie a seconda di come:

- ✓ è, si percepisce e viene percepito;
- ✓ merita, ritiene di sé stesso di meritare e gli altri ritengono di sé stesso di meritare;
- ✓ ha bisogno, crede di sé stesso di aver bisogno e gli altri credono di sé stesso di aver bisogno;
- ✓ desidera e gli viene augurato pure dagli altri;
- ✓ prende e offre a coloro con i quali interagisce ecc.

Tutto quello che hai vissuto finora è tutt'uno con te

e quindi non puoi cancellare con nessuna spugna alcuna informazione dentro di te, sebbene sembri che tu abbia dimenticato molti dettagli.

Uno dei fattori che portano a disturbi della memoria è rappresentato dalla pronuncia frequente di affermazioni come: *Sono uno smemorato, Non so cosa ho fatto una settimana fa, Non ricordo cosa ho sognato, Spero di ricordare cosa mi sono proposto di fare, Forse non dimenticherò i dettagli*. Tutto ciò accentua la chimerica sensazione di isolamento nei confronti di molte delle informazioni che sono una cosa sola con te.

Guardando al tuo passato e facendo una breve introspezione, scopri che da innumerevoli momenti ne rivivi consapevolmente troppo pochi. Questo perché per tutta la vita non sei stato pienamente presente nel *qui* e nell'*adesso*, non hai prestato la dovuta attenzione a certi aspetti e non hai valorizzato i vari dettagli del quadro generale.

Man mano che diventi più consapevole di ciò che stai decodificando a livello sensoriale ed extrasensoriale, i tuoi ricordi diventano più numerosi, più chiari e più dettagliati.

Quello che hai dimenticato, infatti, lo hai trattato in modo superficiale e in fretta, hai ritenuto che non sia importante o che non sia adatto alle tue aspettative, desideri e sogni. Non hai prestato attenzione a come ti sentivi nei confronti di quelle persone ed eventi, o pensavi di non aver modo di ricordare tutti, perché sei abituato a sottoscrivere al cervello alle limitazioni, anche se usi solo una piccola percentuale della sua capacità.

L'oblio è finito per diventare la cosa naturale che incontriamo ovunque ed è inversamente proporzionale alla sensibilizzazione. In altre parole, man mano che diventi più consapevole di te stesso, ricordi sempre più dettagli del tuo passato, dei tuoi sogni ecc.

Anche gli stati interni si trovano in un flusso continuo. Si potrebbe dire che, a quanto pare, i momenti in cui ti senti triste o arrabbiato iniziano all'improvviso, ma prima che tu li manifesti, dentro di te avvengono delle trasformazioni che li generano, avvenendo una transizione graduale.

Il modo in cui riesci a risolvere i tuoi problemi e ad aprirti a nuove esperienze è l'espressione della flessibilità e della fiducia sulle cui frequenze vibri. Non prestando attenzione alle direzioni in cui si dirigono i tuoi pensieri e le tue emozioni, potresti rimanere sorpreso dalla comparsa di stati che scoppiano all'improvviso e di cui potresti pentirti in seguito.

È essenziale imparare l'arte di passare facilmente da uno stato *negativo* a uno *positivo*, in cui si può rimanere stabili il più a lungo possibile, senza perdersi negli stati di bassa frequenza. Da non confondere questa transizione, che avviene facilmente, con l'instabilità emotiva quando ci si sposta velocemente e caoticamente da uno stato all'altro.

LA MAGIA DELL'INTUIZIONE

A livello globale, il tuo essere comprende una moltitudine di particelle di vita e ognuna di esse ha le sue dinamiche. Quindi, a livello del tuo corpo, si può trovare un'ampia gamma di dinamiche, dalle più lente alle più intense, tutte coesistenti in modo più o meno armonioso. Non puoi essere soltanto lento o soltanto veloce, ma sei simultaneamente in entrambe le direzioni.

Se guardi un uomo che è in un profondo stato di meditazione e segui le apparenze, puoi dire di lui che sembra essere in uno stato di immobilità, in cui non accade nulla di speciale. Allo stesso modo, potresti pensare a qualsiasi altra persona che dorme, per esempio. In realtà, sebbene l'esterno sembri stabile, l'interno si trova in una dinamica intensa. Scegliendo di non concentrarti solo sulle esperienze che *l'esterno* può darti e presti attenzione alla *vita* dal suo *interno*, scopri un *universo* troppo poco esplorato, ma che ha un'infinità di doni da offrire.

Oscillando in modo equilibrato tra gioire dei doni che l'esterno e l'interno del tuo essere ti offrono, puoi facilmente portare in superficie dalla conoscenza che è tutt'uno con te e *guarire* più velocemente, sia dal punto di vista *fisico* che da quello *spirituale*.

Non devi per forza meditare, dormire o fare yoga per entrare nell'*universo interiore*, ma puoi benissimo correre, cucinare, ballare, dipingere, nuotare o fare qualsiasi altro tipo di attività. La meditazione è solo l'inizio di questo viaggio cosciente nelle profondità del tuo essere. Ad un certo punto, ti sorprendi che ti capiti spontaneamente di avere quelle riflessioni ed esperienze rivelatrici che, inizialmente avevi solo nei momenti di meditazione. Imparando l'arte di padroneggiare le energie sottili quando sei solo in un'atmosfera di pace e tranquillità, puoi essere certo che sarà sempre più facile farlo anche in un ambiente che gli altri potrebbero considerare stressante o rumoroso.

Metaforicamente parlando, puoi confrontare la meditazione con i momenti in cui hai imparato ad andare in bicicletta e l'autocoscienza che si manifesta nella vita di tutti i giorni con l'equilibrio che mantieni in modo naturale quando vai in bicicletta. Quando pedali, non ti fermi a pensare a cosa devi fare per mantenere l'equilibrio, ma segui semplicemente il percorso che hai scelto. La meditazione accende in te quelle scintille che innescano una reazione a catena. Ti fanno intuire, decodificare e percepire chiaramente le realtà circostanti.

Man mano che le particelle di vita che ti compongono aumentano di luminosità, accedi a sempre più informazioni riguardanti gli eventi che devono accadere successivamente. La conoscenza espressa in modo spontaneo e intuitivo può determinarti a evitare gli eventi spiacevoli oppure prepararsi per l'inevitabile.

Prestando attenzione a ciò che senti, noterai che a volte vieni avvertito in merito a ciò che accadrà. Quindi, se la dimensione energetica di certi eventi che accadranno in futuro sarà quella della sofferenza, allora sarai in grado di percepire uno stato di ansia prima della loro realizzazione. Lo stesso accade prima dei momenti che ti porteranno soddisfazioni e gioie, nel qual caso puoi provare una felicità crescente.

L'inevitabilità delle esperienze spiacevoli che ti riguardano più degli altri è tanto maggiore quanto più caotiche sono le tue oscillazioni. Quindi, nel caso in cui non oscillassi così all'improvviso e ti mantenessi in una relativa costanza, avresti il tempo di anticipare cosa accadrà.

Il passato, il presente e il futuro sono uno da un punto di vista energetico, proprio come un singolo punto contiene un'infinità di punti. In qualsiasi momento della tua vita ti troveresti, sei il prodotto di tutto ciò che era, è e sarà. Le particelle di vita che ti compongono includono la conoscenza di tutto ciò che è accaduto, sta accadendo e accadrà, ma ognuna di esse la esprime secondo diversi parametri. In altre parole, mentre ascendi, accedi ed esprimi più conoscenza ed esperienza. Ad esempio, i sogni premonitori e l'intuizione sono un'espressione dell'accesso alle informazioni su eventi che potrebbero verificarsi in futuro.

Nelle condizioni in cui la tua vibrazione globale è ben al di sopra di alcune delle esperienze con cui potresti sincronizzarti, puoi prevederle, sentire e sapere semplicemente come evitarle e in che direzione andare.

Le persone la cui energia manifesta una dinamica lenta e caotica allo stesso tempo:

- ✓ sono lenti nel pensiero e nell'azione;
- ✓ sono malaccorti e hanno riflessi ritardati;
- ✓ guardano la vita in modo superficiale;
- ✓ hanno diminuito la volontà e la determinazione;
- ✓ prestano troppa poca attenzione ai dettagli;
- ✓ spesso non anticipano i pericoli al momento giusto e non adottano le necessarie misure di sicurezza;
- ✓ non intuiscono abbastanza bene le scelte che ne favoriscono la crescita;
- ✓ raramente pensano al loro futuro o a come diventare una versione migliore ecc.

Siamo tutti in un continuo processo di evoluzione. Coloro che ora esprimono una dinamica lenta ad un certo punto diventeranno molto più brillanti e faranno scelte che sosterranno la loro fioritura.

La dinamica è uno dei fattori che determina:

- ✓ lo svolgimento dei processi di creazione e di disintegrazione;
- ✓ la conservazione dell'aspetto giovanile, il ringiovanimento o l'accelerazione del processo di invecchiamento;
- ✓ la velocità con cui vengono eseguiti i processi di guarigione;
- ✓ la forma e le dimensioni di ogni forma di vita;
- ✓ la delineazione di tutto ciò che comprendiamo che può essere chiamato spazio;

- ✓ il modo in cui ogni essere percepisce *il tempo*;
- ✓ la creazione, l'emissione e la cattura della luce (ogni forma di vita crea, emette e cattura la luce, e più intensa è la sua dinamica, più brillante risplende) ecc.

*Ciò che ora consideri debolezza,
a un certo punto, sarà la tua forza
e viceversa.*

Capitolo 5

IL PRINCIPIO DELLA RISONANZA

L'insieme di vibrazioni di tutte le particelle che compongono una certa struttura o forma di vita formano la vibrazione globale della struttura di riferimento, rispettivamente della forma di vita stessa. In altre parole, se prendiamo come esempio il pesco, possiamo parlare della vibrazione globale del pesco presa nel suo insieme o della vibrazione globale di ogni parte componente: radice, tronco, ramo, foglia, frutto, nocciolo, cellula foto recettrice ecc.

Le particelle di vita sono attratte da corpi diversi e dipendono dalle loro vibrazioni globali e dai loro bisogni energetici.

A differenza della frutta che inizia a marcire, quella che si trova in pieno processo di crescita e sviluppo è nutriente e ha un colore vivo e un aroma particolare, dato che attirano una moltitudine di particelle la cui lucentezza è molto più intensa.

I semi cadono o vengono trasportati dal vento, dall'acqua o da vari esseri viventi esattamente nel posto dove risuonano. A seconda di questo aspetto, la loro germinazione è condizionata da ambienti più o meno favorevoli. A quanto pare, si potrebbe dire di alcuni semi che non son capitati nell'ambiente giusto, ma, in realtà, la loro coscienza ha attirato le condizioni precarie per la crescita e lo sviluppo degli esseri vegetali i cui progetti creativi li includono.

La complessità e l'unicità dei codici di creazione può essere vista nel fatto che ogni parte costitutiva di qualsiasi forma di vita ha le sue caratteristiche. Ad esempio, i petali e le molecole di polline sono unici dal punto di vista dell'intensità, della varietà e della disposizione dei colori, poiché utilizzano una certa quantità di pigmenti con cui si nutrono dall'ambiente in cui si trovano.

Ogni specie esistente ha un modo unico di nutrirsi, essendo particolarmente compatibile con determinate frequenze e informazioni. Ad esempio, alcuni esseri viventi consumano polline, altri bambù, frutta, pigne, radici, ghiande ecc. Non tutte le creature sono attratte dal consumo delle stesse forme di energia, perché ognuna risuona soprattutto con qualcosa di specifico.

Allo stesso tempo, ogni specie è sulla stessa lunghezza d'onda con il clima e le caratteristiche geografiche del suo ambiente di vita. L'orchidea non potrebbe crescere in una regione polare, proprio come gli abeti non si adatterebbero in un'area desertica. In apparenza si potrebbe dire che le peculiarità climatiche, e non solo, di ogni regione della Terra, sono quelle che determinano l'esistenza di determinati esseri, ma pure gli esseri partecipano alla creazione del loro habitat.

Le vibrazioni che si trovano nell'ambiente in cui vivi lasciano il segno anche su di te. Ad esempio, una pianta che non usufruisce di tutte le condizioni ottimali per la sua crescita nonché sviluppo è difficile che essa fiorisca, poiché la sua fruttificazione è compromessa. Col tempo, se non ha abbastanza acqua o luce, la pianta ristagna, le sue foglie si seccano e cadono, essendovi la possibilità che non raggiunga la maturità.

Lo stesso accade persino con l'uomo e qualsiasi altro essere. L'uomo che vive in un ambiente tossico subisce una serie di trasformazioni: la sua vitalità diminuisce, i colori del suo corpo sbiadiscono, invecchia prematuramente, ha le rughe, diventa grigio quando è giovane, i suoi capelli cadono sotto stress, sviluppa vari disturbi, diventa sterile, non si sincronizza più con una serie di opportunità, diminuisce il suo potere di materializzare ciò che vuole, affronta vari ostacoli nel suo percorso di diventare ciò che propone.

È incompleto dire che attiri e crei solo a seconda di come sei, perché la tua evoluzione è direttamente correlata all'ambiente in cui ti trovi, così come alle persone intorno a te che influenzano in un modo o nell'altro il tuo modo di essere.

Se ti trovi nel contesto sbagliato, che non ti sostiene nella tua direzione, può succedere che indipendentemente di quanto voglia qualcosa, sarà difficile per te materializzarla.

Ci sono momenti nella tua vita in cui ti trovi semplicemente nella posizione di dover tollerare certe situazioni che non solo non ti piacciono, ma che non risuonano nemmeno con te. Queste situazioni possono rappresentare sia un dovere morale verso qualcuno sia o una transizione verso una nuova fase, sia un vincolo avendo allo stesso tempo il potenziale di soddisfare alcuni dei tuoi desideri. Durante un tale periodo, le persone di cui potresti in qualche modo doverti circondare, compresi i membri della tua famiglia, possono a volte avere un'influenza sfavorevole su di te, ma allo stesso tempo metterti in situazioni che hanno la capacità di renderti più forte. Per tutto questo tempo, nonostante cerchi di ottenere ciò che ti sei prefissato di fare, i pensieri negativi a cui ti rivolgi e le aspettative che quelle persone hanno da te, ti sabotano ovvero ti creano tensioni.

A volte è preferibile sapere solo quello che vuoi materializzare nella tua vita, benché possa essere fastidioso per coloro non sanno come gestire i propri sentimenti e per coloro che scelgono di sentirsi feriti dal fatto che non condividi loro così tanto tanto quanto vorrebbero sapere dalle scelte e dalle azioni che fai.

È facile evolversi in modo bello e mantenere l'equilibrio quando si hanno le condizioni e il sostegno necessari.

Se vuoi sviluppare il tuo vero potenziale, è essenziale iniziare con la creazione di un ambiente favorevole, anche se ciò significa apportare alcuni grandi cambiamenti nella tua vita: abbandonare abitudini malsane, allontanarti da certe persone, cambiare casa o lavoro, scegliere uno stile di vita diverso e una dieta diversa, riorientarsi professionalmente ecc.

Molti credono che la materializzazione di una certa cosa avvenga solo quando è il momento giusto, ma chi stabilisce il momento giusto? A seconda della fiducia che hai in te stesso e della certezza di essere degno dei risultati, prima o poi imposti la loro acquisizione.

La dipendenza da uno stile di vita che non è vantaggioso per te non è altro che abitudine e compiacimento nelle vecchie abitudini delineate intorno ad automatismi e attaccamenti. Puoi sempre concentrare la tua energia e attenzione verso nuove direzioni, scelte da un sentimento elevato.

Una particella che esprime una coscienza inferiore ha maggiori probabilità di crescere in luminosità se è circondata da particelle con una coscienza superiore, che essere circondata da particelle simili ad essa. In questo secondo caso non usufruisce degli stessi fattori catalitici che ne favoriscono la risalita. Ad esempio, il desiderio di uno studente di scuola media di elevare le sue capacità intellettuali in una classe piena di studenti eminenti è intensificato, che fare parte di una classe di studenti simili a lui o addirittura più deboli.

Allorquando stai cercando di fare di tutto per uscire dalla tua zona di comfort, ti fa bene trovarti in luoghi e circondarti di persone e altre forme di energia che creano il tuo ambiente adatto alla crescita, ti portano valore aggiunto, ti conferiscono tranquillità interiore, ti danno uno stato generale di benessere... Tutto questo ti stimola: la sete di conoscenza; il coraggio di sognare, di puntare più in alto e di agire secondo il proprio intuito; l'immaginazione e la creatività; il potere della materializzazione; la chiarezza con cui fai le scelte e così via. In una situazione del genere, le tue cellule amano interagire con loro attraverso lo sguardo, il sorriso, la comunicazione, il pensiero, il tatto ed essere influenzate dalla loro brillantezza. Puoi sentire questa gioia dell'interazione a livello energetico come una piacevole ondata di calore interiore che si intensifica progressivamente.

Alcune persone ritengono che la presenza di determinate persone abbia un impatto benefico sul miglioramento delle loro condizioni fisiche, mentali, emotive e spirituali, perché creano metaforicamente parlando, un ambiente *fertile*. Tuttavia, scelgono di non compiere gli sforzi necessari per aumentare la loro qualità di vita e si limitano a usare soltanto coloro di cui si circondano senza i quali la loro condizione si deteriorerebbe notevolmente.

Quando ti abitui a ricorrere spesso all'aiuto degli altri, senza cercare di aiutare te stesso in anticipo, diventi debole ai loro occhi. Certo, non puoi andare avanti all'infinito in questa situazione, perché sia chi ti aiuta che l'aiuto che ricevi sono utili per un po', dopodiché rimani con te.

È importante considerare il fatto che, a un certo punto, rischi di perdere l'aiuto di coloro su cui fai affidamento e ti ritrovi in un divario che può portarti anche più in basso rispetto alla situazione in cui ti trovavi prima.

Piuttosto che essere alla costante ricerca del sostegno di coloro che ti circondano, dovresti cercare dentro di te la forza per sostenerti.

Anche se qualcuno ti solleva per raggiungere un livello superiore a quello con cui sei compatibile, continui ad essere attratto dalle esperienze e dalle persone con cui entri in risonanza e prima o poi arrivi esattamente nel posto al quale appartieni. È bello aiutarsi a vicenda, ma non è etico approfittare della gentilezza degli altri. Ognuno è responsabile di sé stesso e la vera salvezza viene da noi stessi, indipendentemente dall'aiuto esterno che riceviamo. Il fatto stesso di raggiungere un certo livello senza dipendere da qualcuno e senza avere altri dietro di te significa trovare la tua forza e levigare le qualità e le abilità necessarie, in modo che tu possa rimanere dove sei o addirittura arrivare molto più in alto.

Le persone che si compiacciono nella situazione di essere mentite, usate e manipolate da altri cadono in schemi di pietà o addirittura arrivano a svolgere il ruolo del *soccorritore*. Nelle condizioni in cui accettano di essere usate, pagano con la propria brillantezza che, in alcune situazioni, finiscono per diminuire così tanto che difficilmente riescono a riprendersi.

In generale, non puoi definirti il *soccorritore* di una persona che ti usa a suo piacimento, ma piuttosto una *vittima*, se è quello che scegli di essere.

Il bagnino e il vigile del fuoco possono essere considerati soccorritori i cui interventi sono tempestivi, ma temporanei. Quando un uomo rischia di annegare, il bagnino esce in mare per aiutarlo, ma non rimane indefinitamente dento l'acqua tumultuosa con lui tra le braccia, soprattutto perché costui collabora per essergli salvata la vita.

Sicuramente hai incontrato persone che, sebbene cerchino aiuto, non fanno nulla per salvarsi, né collaborano con chi intende tirarle furi da una situazione difficile. È come se la persona che sta quasi annegando opponesse resistenza al bagnino, mettendo in pericolo la sua vita.

Se ti trovi già in una situazione simile in cui interpreti il ruolo del soccorritore, è consigliabile fare delle scelte presunte al riguardo. Aiuta, ma nella misura in cui non distruggi la tua integrità fisica, mentale o emotiva.

Non è la scelta più vantaggiosa restare accanto a una persona a cui fai del bene, ma che, in un modo o nell'altro, rallenta notevolmente la tua ascesa, peggiora la tua salute e ti fa decadere.

L'ABILITÀ DI MATERIALIZZARE

Tutto ciò che attiri è in perfetta armonia con il modo in cui vibri. Invano vuoi qualcosa di specifico, se non vibri intensamente sulle frequenze giuste e non focalizzi la tua attenzione ed energia in quella direzione. Allo stesso tempo, i desideri di tutti sono un'espressione della loro coscienza, quindi non devi giudicare i desideri degli altri e considerarli inferiori o superiori ai tuoi standard.

La materializzazione avviene quando il tuo pensiero, i tuoi sentimenti e le tue azioni vibrano largamente all'unisono. Se vibri con *tutto* il tuo essere per essere libero dal punto di vista finanziario, sull'avere una relazione in cui l'aspetto sessuale conosce un appagamento molto più profondo o sull'attrazione di un partner con cui raggiungere livelli più alti di amore, conoscenza e brillantezza, allora tutto questo accadrà.

Il potere della materializzazione è anzi maggiore, se sei pieno di vitalità e la dinamica della tua energia è più armoniosa.

Una persona piena di vitalità esprime spesso il suo lato creativo, ma *deve* stare attento visto che, avendo un intenso potere di materializzazione, in un momento di marcata identificazione, attraverso un semplice pensiero negativo su qualcuno in particolare, possa attrarre esperienze negative su di esso. In altre parole, nonostante le risulti facile materializzare la bellezza nella sua vita, altrettanto facile le sembra a volte, nei momenti di decadenza, materializzare anche gli aspetti considerati negativi.

Con la tua evoluzione, è naturale diventare più profondo e più impegnato, nonché capire che qualsiasi oscillazione disarmonica che potrebbe accaderti può destabilizzare le persone che ti circondano e coloro nei cui confronti ti relazioni in maniera sbagliata. Man mano che arrivi a manifestare un crescente potere di materializzazione, è necessario essere consapevoli degli effetti dei pensieri negativi e dei giudizi di valore che si possono ricavare da uno stato di rabbia o di rivolta, poiché tali effetti possono agire più velocemente e con maggiore intensità.

Una persona abbondante in brillantezza riesce facilmente ad essere spesso felice e amorevole, dato che ha formato uno stile di vita che riflette la pace interiore, mentre una persona debole, la cui luce interiore lampeggia, molto raramente ha un volto sereno e regala per amore. Al contrario, quello scintillante si rattrista e si arrabbia raramente e solo per pochi istanti, mentre quello che sceglie di indulgere in stati di bassa vibrazione è sempre insoddisfatto e sofferente.

Molti si ritengono *buoni* solo perché sentono di non fare del male agli altri e sono convinte che per questo motivo dovrebbero attrarre solo belle esperienze. Tra loro ci sono quelli che hanno un carattere morbido, sono misericordiosi e facili da manipolare, hanno un'autostima esagerata, si lasciano usare da chi persegue i propri interessi, considerano che il sacrificio di sé può essere solo una virtù, accettano il ruolo della vittima ecc.

Essere deboli non è la stessa cosa con essere *buoni*. Gli speculatori e gli approfittatori chiamano *buone* le persone a loro portata di mano, perché in questo modo li determina ad essere ancora migliori e più facili da usare.

Le persone che pensano di essere *buone* sono in realtà deboli, essendo un'espressione dei contesti passati, che hanno lasciato il segno su di loro e su quelli in cui continuano a crearsi. Non è sufficiente cambiare il loro ambiente per poter progredire più velocemente. Non essendo aperti nel diventare più forti, attraggono le stesse tipologie umane, ovunque vadano.

Una persona veramente buona ha una conoscenza che le permette di essere saggia, integra e degna, non si lascia manipolare, sente intuitivamente le intenzioni di chi lo circonda, si vede esattamente come è, dà e offre aiuto a tutti, a seconda delle potenzialità che ha e in base a ciò che merita, mira ad evolversi sempre di più ecc.

La gente che attiri è come un'espressione della maestria con cui crei la tua vita. Immagina la persona in due ipostasi: in quella di una persona *buona* il nettare che attira insetti di alta vibrazione, come sono le farfalle e le api, o quella di una persona *debole* la mela marcia che attira mosche e vermi. Non basta essere una persona preziosa. È importante essere in grado di vedere te stesso nel tuo vero splendore, in modo da essere consapevolmente circondato da persone che hanno un valore simile al tuo. Nelle condizioni in cui tendi a sottovalutare te stesso, c'è la possibilità che ti consideri degno di meno di quanto meriti veramente, come risultato dell'attrazione di esperienze e persone che non sono un'espressione di ciò che sei, ma un riflesso delle percezioni errate che hai.

Per quanto riguarda il raggiungimento delle giuste dinamiche per materializzare un certo desiderio, non è così importante il periodo di tempo da quando è scaturito dentro di te, ma la chiarezza con cui vibra attraverso di te, la fedeltà e la concentrazione che riesci a sentire in relazione ad esso. Se non ti senti stabile in quel desiderio e oscilli in modo caotico e diffidente in una moltitudine di direzioni, e quelle poco chiare, ovviamente non sarai in grado di ottenere troppe di ciò che ti sei prefissato di fare.

La maggior parte delle persone sogna di incontrare la propria metà, ma solo pochi di loro godono della tanto desiderata materializzazione. Tra coloro che sono rimasti soli o con la persona sbagliata ci sono quelli che: non sanno cosa vogliono veramente dalla vita, da loro stessi o dal loro partner; non sono sicuri delle proprie scelte e dei propri sentimenti; sono instabili; scelgono di essere insoddisfatti; non credono con tutto il loro essere di essere degni dell'amore di qualcuno. Per quanto riguarda i *fortunati*, alcuni impiegano molti anni per realizzare questo sogno, mentre altri possono impiegare solo pochi giorni, settimane o mesi dal momento in cui hanno deciso di farlo.

Ma ci sono anche persone che passano tutta la vita alla ricerca del partner giusto, ma in qualche modo il problema è la loro ricerca. Essere alla ricerca non è la stessa cosa con trovare.

Sentendo intensamente di aver già trovato quel partner, che a sua volta è sulla stessa lunghezza d'onda con te, le vostre energie non fanno altro che attrarsi a vicenda in modo perfetto, indipendentemente dalla distanza *fisica* tra i vostri corpi, e generare le sincronicità che vi uniscono.

È importante comprendere, visualizzare e nominare chiaramente gli aspetti che desideri migliorare. Ad esempio, se decidi di crescere in amore, forza o coraggio, migliorerai quanto la tua coscienza lo permetterà, ma ci sarà sempre infinitamente di più di qualsiasi cosa tu possa esprimere a parole. La parola *amore* è comunemente usata, ma ciò che ognuno sente quando la pronuncia è unico e ha la propria dimensione energetica.

Potresti pensare che se dici chiaramente che vuoi essere una persona di successo, allora è naturale materializzare questa realtà, solo che qui arriva il seguente aspetto: per avere successo, è necessario eccellere in un certo campo e conoscere te stesso così bene in modo tale da sapere in che cosa sei brillante. Quindi, prima di tutto, non devi volere il successo, ma la perfezione di quel qualcosa che è il tuo dono più prezioso e, allo stesso tempo, il tuo successo verrà da sé.

Alcune persone tendono a incolpare la sfortuna e la mancanza di opportunità su tutto ciò che non riescono a realizzare, indipendentemente dal fatto che siano i principali responsabili del modo in cui costruiscono le loro vite.

La fortuna nella vita, il successo e le opportunità di cui alcune persone godono in abbondanza sono dovute a diversi fattori che non sono casuali. Persone del genere:

- ✓ creano l'ambiente favorevole alla loro evoluzione;
- ✓ mantengono le distanze da persone che potrebbero limitarle;
- ✓ sono facilmente influenzabili e non si fanno sviare dal loro percorso;
- ✓ stabiliscono le loro priorità in modo consapevole, rigoroso e impegnato;
- ✓ concentrano la loro attenzione sulle direzioni che rappresentano una priorità per loro;

✓ sono devoti ai propri sogni;

✓ si sentono all'altezza degli aspetti che intendono manifestare;

✓ sono flessibili e hanno maggiore chiarezza nei processi decisionali;

✓ fanno tutto quello che possono per superare sé stessi e dare un bel significato alle loro vite;

✓ sono realisticamente ottimisti e non amplificano le proprie debolezze o la dimensione negativa dei vari inconvenienti o ostacoli che devono affrontare;

✓ sono perseveranti e migliorano costantemente le loro qualità;

✓ non mollano, ma si concentrano per trovare le giuste soluzioni alle situazioni che li portino fuori dalla loro zona di comfort;

✓ non si vittimizzano, ma scelgono di diventare più forti;

✓ sono sulla stessa lunghezza d'onda con i risultati che hanno voluto materializzare e così via.

L'idea stessa di opportunità presuppone che a un livello sottile tu creda illusoriamente che possano esserci disgrazie o fallimenti, quando in realtà attiri a seconda di come sei e come vibri.

Alcuni guardano dietro di loro e scelgono di dare una portata esagerata alla dimensione negativa delle situazioni che hanno attraversato. Di conseguenza, vedono le loro vite come cosparse di molti errori e fallimenti o come un grande fallimento, ma quelli che chiamano fallimenti sono esperienze che hanno il potenziale per portarli a imparare molte cose nuove e diventare migliori. Considerare quei fallimenti come la fine della strada e scegliere di non imparare dalle opportunità che hanno attratto, ma che chiamano sfortunate, subordinano ai limiti il loro intero processo di evoluzione.

Anche gli aspetti spiacevoli della tua vita, al di sopra dei quali vorresti essere, sono opportunità di crescita che hanno il potenziale per insegnarti una moltitudine di cose e per spingerti a superare la tua condizione.

Le persone che provano un'intensa paura di trovarsi di fronte a una relazione in cui si ripete lo schema di un partner violento, vizioso o non amorevole hanno esattamente ciò di cui hanno paura, poiché concentrano la maggior parte delle loro energie su ciò che non vogliono che succeda a loro. In realtà, non vibrano sufficientemente a fondo nella direzione di attrarre il partner ideale per loro o non sono così teneri, calmi e amorevoli come vorrebbero essere coloro che li circondano. Allo stesso tempo, dovrebbero chiedersi se possono dare al partner ideale ciò che vogliono ricevere da lui.

Coloro che hanno varie paure attraggono un partner che ha paure simili o qualcuno che può offrire loro esperienze progettate per aiutarli a superare i loro limiti, nonostante a volte possono essere classificati come molto duri o ingiusti.

L'attrazione tra i corpi di due esseri è data dal modo in cui le loro energie si armonizzano, vibrano su lunghezze d'onda simili e sono esaltate in brillantezza e codici di creazione. In altre parole, l'attrazione tra le persone è dovuta ai modi in cui possono soddisfare i bisogni reciproci, così come alle *lezioni* che possono offrirsi a vicenda per evidenziare ed elevare le parti che necessitano levigatura.

Man mano che i partner della coppia non trascorrono più *abbastanza* tempo insieme o non sono più aperti a crescere in un ritmo simile, iniziano a differire nei pensieri e nei sentimenti e l'attrazione tra loro diminuisce gradualmente fino al punto in cui culmina con la separazione.

Più una persona è complessa, più è attraente, perché, essendo ricca di codici creativi e avendo molto da offrire, riesce a soddisfare le esigenze di un gran numero di persone. Le vaste esperienze che puoi avere con una persona del genere ti aiutano a essere più concentrato sui sentimenti alti e più stabile da un punto di vista spirituale, fisico, intellettuale e finanziario.

Se hai amici affidabili che ti sostengono e ti rendono bella la vita è dovuto al fatto che in te ci sono qualità simili alle loro. Invece, se le persone nella tua vita ti usano e abusano della tua gentilezza, ti scoraggiano, ti nascondono verità, ti mancano di rispetto, sono possessive ecc., allora dovresti riflettere sulla misura in cui sono questi tratti comportamentali si ritrovano anche dentro di te. Nella situazione in cui pensi che questi tratti non ti definiscano, pensa ai seguenti aspetti:

- ✓ forse tu non usi gli altri, ma ti lasci usare, perché non hai abbastanza fiducia in te stesso e non hai troppo coraggio per dire e agire come senti e pensi;

- ✓ forse non sei tu a scoraggiare gli altri, ma ti dai per vinto troppo facilmente;

- ✓ forse sei una persona sincera, ma non riesci a leggere chiaramente le persone con cui interagisci, quindi ti lasci ingannare dalle apparenze e finisci per essere mentito e usato;

- ✓ forse non sei una persona possessiva, ma non sai apprezzare la tua libertà e non ti senti nemmeno libero e così via.

A seconda di quali parti di te scegli di manifestare e di come ti relazioni con le persone intorno a te, riceverai una risposta al momento giusto.

Immagina il gioco del tennis e considera la palla, in

senso figurato, come l'incarnazione di tutti i sentimenti che scegli di esprimere nei confronti di qualcuno in particolare. In alcuni casi, se lanci una palla rossa, ricevi una palla rossa o, in altre parole, se ti comporti con una certa persona con odio, quella persona o magari un'altra può ricambiare il tuo odio.

Tuttavia, esiste persino la variante in cui il colore della palla viene pigmentato qui e là con altre tonalità o cambia completamente il suo colore. Quindi ci sono situazioni in cui, in cambio dell'amore che mandi alle persone, alcuni di loro scelgono di risponderti con odio, dato che i loro sentimenti sono sempre densi e di solito non abbastanza aperti per esprimere amore a un livello superiore.

Da un certo punto di vista si potrebbe dire che più intenso è l'amore che dai all'esistenza, più intenso è l'amore che ti viene restituito, ma non puoi assolutamente generalizzare questa verità, perché posso verificarsi anche le seguenti situazioni:

- ✓ relazionarti con amore a chi ti circonda, ma, allo stesso tempo, avere la ferma convinzione che non ti viene risposto nella stessa misura, e, quindi, che tutto accada come pensavi;

- ✓ materializzare l'intensa paura secondo cui i tuoi cari non ti amino quanto vorresti;

- ✓ attirare persone che non sono molto affettuose, ma che possono soddisfare altre aspettative, desideri o bisogni e offrirti lezioni preziose per aiutarti a crescere da molti altri punti di vista;

- ✓ attirare le persone che si relazionano con odio nei tuoi confronti fino a quando imparerai ad amarti di più e non bramare così tanto l'affetto di coloro che ti circondano;

- ✓ amare il tuo partner, ma essere geloso dell'idea

che potrebbe tradirti, e ripetendo questo comportamento finisci di trovarti nella posizione di essere tradito;

✓ dare amore a qualcuno e aspettare che ti risponda subito, senza tener conto del fatto che da un lato forse soffre e non si sente più affettuoso, e dall'altro puoi sempre ricevere amore pure da altre persone;

✓ voler ricevere un amore puro, nonostante cerchi ad amare superficialmente e ad accettare di essere auto-condizionato a seconda delle circostanze;

✓ pensare di amare, ma avere interessi, in questo caso le persone di cui vuoi approfittare non mostreranno apertura nei tuoi confronti;

✓ affezionarsi e attaccarsi eccessivamente alle persone da cui hai aspettative, omettendo che anche loro abbiano il diritto di scegliere in che misura, quando e a chi regalarsi;

✓ credere che per essere amato devi dare più di quanto ti aspetti di ricevere;

✓ sentirti indegno di essere amato, e così non attrai persone o circostanze attraverso le quali gioire dei modi in cui l'amore ti può essere dato;

✓ ricevere a volte più di quello che offri;

✓ sentirti giù e oppresso, e l'amore di chi ti circonda ti aiuti a uscire da quello stato, sebbene in quei momenti non sia abbastanza aperto da offrire amore in misura simile, dopodiché, in seguito, quando ti sentirai pieno di vitalità, tu possa offrire pienamente;

✓ disperarsi dopo alcuni ripetuti rifiuti e perdere di vista il fatto che potresti non aver cercato o essere stato nel posto giusto ecc.

Quando lanci una palla su una certa superficie, questa si comporta specificamente a seconda: dell'intensità con cui la lanci; delle caratteristiche dell'ambiente attraverso cui passa; della sua forma e densità, così come della superficie di contatto. Importa quali sono gli attributi, non solo di ciò che emetti nei confronti di qualcuno, ma anche gli attributi dell'energia di chi riceve le onde a lui rivolte attraverso pensieri, emozioni e azioni.

Se pronunci parole cariche di odio e rifiuto a una persona sensibile e introversa, queste lasciano un segno piuttosto profondo dentro di sé e il *feedback* che ricevi da parte sua è spesso meno aggressivo o pungente. D'altra parte, se lanci da uno stato di rabbia parole dure a una persona dura e rigida che ha un forte sistema di autodifesa, il *feedback* sarà commisurato alla sua forza, essendo così veloce che quasi non hai tempo di reazione.

Ci sono anche persone che cercano di risolvere le eventuali liti o stato di conflitto, in modo che, indipendentemente dalle parole che ricevono, rimangano concentrate, equilibrate e non danno seguito al numero crescente dei momenti di tensione.

L'essenza di questi esempi è che tutto ciò che crei ed emetti ha sempre una moltitudine di effetti e non si può dire che le azioni che eserciti sugli altri non ti influenzino in alcun modo.

L'impronta energetica informativa di ogni momento di interazione e fusione con le persone della tua vita rimane tutt'uno con le energie che ti animano e ti creano.

CI CREIAMO A VICENDA

La coesistenza delle particelle di vita ad alta vibrazione con le particelle di vita a bassa vibrazione fa sì che le prime diano un impulso alle seconde ad aumentare il loro livello di luminosità. Allo stesso tempo, le particelle a bassa vibrazione non necessariamente abbattono le particelle ad alta vibrazione, ma agiscono come fattori catalitici, nel senso che le mettono in diverse ipostasi attraverso le quali riescono ad evolversi e diventare più stabili ad ogni livello che raggiungono.

Le etichette che esprimono dualità, come: buono - cattivo, positivo - negativo, chiaro - scuro hanno la loro utilità, perché fin dall'infanzia hai bisogno di punti di riferimento per poterti orientare durante la vita.

Secondo una delle infinite prospettive esistenti, se al bambino venisse detto che l'uomo astuto è *buono*, allora non saprebbe distinguere tra le persone oneste e quelle che cercano di trarre vantaggio e soddisfare i loro interessi. Di conseguenza, potrebbe trovarsi nella posizione di consentire agli altri di usarlo e di avere una moltitudine di esperienze di cui non avrebbe necessariamente bisogno. Perché affrontare situazioni difficili solo per mancanza di conoscenza?

L'uomo considerato astuto è comunque buono, perché dà insegnamenti preziosi alle persone ingenui, ma ha anche momenti in cui è onesto, avendo altre qualità secondo le quali non è proprio cattivo. Tutti possono essere buoni da alcuni punti di vista e cattivi da altri punti.

Pertanto, non puoi generalizzare che un uomo è solo buono o solo cattivo, soprattutto perché è nella natura dell'energia oscillare.

Le qualità di ognuno di noi sono in continua lucidatura e ciò che al momento consideri la tua debolezza, un giorno sarà la tua forza e viceversa.

Invece di avere paura di ciò che chiami essere *negativo*, rifiutare *il male* o volere solo il *bene*, è consigliabile formulare la tua intenzione di attrarre e materializzare ciò che è giusto per te.

Perché respingere o giudicare gli altri in termini di significati inappropriati o incompleti che sono stati dati a certe parole? Poiché il vocabolario viene arricchito con molte parole e definizioni, si può riprodurre e capire più chiaramente il significato di ciò che vuoi trasmettere. Partendo dal presupposto secondo cui il linguaggio non ti aiuta a esternare completamente ciò che senti, ti limiti per quanto riguarda la scelta, il flusso e la disposizione di per sé delle parole, oltre a inventarne altre nuove che siano più suggestive.

Non c'è niente di male o di sbagliato nell'esistenza delle particelle delle quali potresti dire che imparano da quelle che esprimono una conoscenza più complessa della loro. Il solo fatto di vedere i meno brillanti come inferiori o negativi non è esattamente quello giusto, considerando che pure loro finiranno per brillare un giorno, forse più intensamente di quanto avresti pensato.

Pensi che ci sia una ragione plausibile per cui alcune persone mostrano rifiuto e odio per coloro che non hanno raggiunto un certo livello di perfezione, conoscenza e purezza? Il rifiuto ha la sua origine nell'incomprensione che il processo di apprendimento non si ferma mai. Cosi come a tua volta tu hai ancora molto da imparare, così fanno anche quelli intorno a te.

Rifiutando la realtà secondo cui l'apprendimento è essenziale per il tuo sviluppo, ometti il fatto che ogni particella di vita che ti compone contiene un'infinità di informazioni che è oltre la forma, il tempo e lo spazio e in attesa di aprirsi a loro e prenderne coscienza. L'atto di apprendimento è naturale e può avvenire in innumerevoli modi e circostanze.

A causa della mancanza di conoscenza, della manifestazione di orgoglio e della costruzione di un ego forte, alcuni di coloro che vogliono imparare, spesso sembrano superiori a quelli che sono i loro insegnanti, e talvolta persino li offendono o li prendono in giro perché non posso capire la loro profondità. Perdono di vista il fatto che, a seconda del contesto in cui viviamo, tutti noi recitiamo costantemente sia il ruolo di studente che il ruolo di insegnante, e siamo in un processo di apprendimento continuo.

La percezione secondo cui sei soltanto un *io* può farti sentire completamente distrutto da ciò che ti circonda. Quando comprendi che siamo tutti uno, puoi facilmente trovare la forza per superare situazioni che in passato avresti considerato estremamente difficili. In altre parole, se prima di questa consapevolezza cercavi il tuo potere solo nell'energia che compone il tuo corpo, in seguito capirai che ovunque *intorno a te* ci sono infinite altre *fonti* di energia che sono date dal semplice fatto che esistono. Di fronte a queste fonti, le tue attuali difficoltà e debolezze svaniscono e diventano insignificanti.

Per poter accedere a questa realtà dell'unità, è necessario aprirsi al potenziale della propria energia.

Ciascuno modella la realtà multidimensionale circostante, contribuendo a mantenere l'equilibrio tra le energie esistenti. Questo porta un'ulteriore spiegazione di come i partner della coppia o i membri di una famiglia si armonizzano tra loro mentre trascorrono molto tempo insieme.

Dato che la *macro* viene proiettata in *micro*, ogni forma di vita esistente ti circonda, proprio come tu la racchiudi da un punto di vista energetico informativo. La tua stessa vita è influenzata dal potere creativo delle persone che ti circondano così come sono l'espressione di tutto ciò che li circonda, incluso il potere creativo che manifesti. Quindi, influenziamo e creiamo le vite degli altri.

Non puoi dire di vivere in isolamento e che ciò che accade agli altri esseri non ha nulla a che fare con te.

Inoltre, le onde di energia che emetti costantemente si propagano all'infinito e generano *risposte* dall'Universo.

A seconda degli attaccamenti che provi in relazione a ciascuna relazione che hai, provi un certo grado di coinvolgimento sentimentale che porta a sperimentare diverse forme di appagamento e soddisfazione. Ad un certo punto, finisci per credere che certe persone siano più importanti di altre e questa convinzione ti fa comportare in modo diverso a seconda di ogni persona con cui ti relazioni.

All'interno di una famiglia, ad esempio, la madre tende a identificarsi con il bambino che considera una sua creazione e fa del suo meglio per accontentarlo, ma a volte potrebbe non comportarsi con la stessa dedizione nei confronti del marito o dei suoi genitori. Una moglie che è anche madre può benissimo formare il marito in modo bello ed equilibrato, così come contribuisce alla formazione del proprio figlio. Un marito che soffre e il quale ha una moltitudine di complessi e frustrazioni non è solo la sua creazione, ma pure della sua famiglia, del suo entourage e della professione che svolge.

Generalmente parlando, perché non potresti sentirti tutt'uno con l'intera Creazione? Perché limitare il sentimento di unità solo a coloro con i quali pensi di avere un rapporto molto stretto?

Il tuo potere creativo non riguarda solo il tuo corpo, le tue esperienze o la concezione di un bambino, ma *infinitamente di più*.

LA RICETTIVITÀ NEI CONFRONTI DELL'AIUTO

Alcune persone che sono entusiaste delle verità che hanno iniziato a cogliere, tendono ad essere più insistenti nei confronti delle persone a cui vogliono bene e vorrebbero aiutarle a diventare una versione migliore di sé stesse. Fino a quando non si concentrano di più sulla conoscenza che manifestano, nei loro momenti di decadenza, non tengono conto del fatto che non puoi trasformare un altro con la forza, solo perché hai determinati desideri e aspettative all'inadempimento dei quali scegli di soffrire, di essere deluso e accumulare frustrazioni.

Ognuno è unico e risuona in percentuali diverse con le informazioni che vuoi trasmettere, a seconda dei codici creativi che esprime, del suo stato interiore e della ricettività che ha in quei momenti.

È utile sentire quando è il momento giusto per condividere le proprie conoscenze, così come esprimere ciò che si vuole trasmettere, dato che ognuno segue il proprio ritmo, essendo più o meno aperto alla conoscenza. Ad esempio, ogni persona si sente pronta e aperta a discutere di argomenti che risuonano con quante più parti possibile di lui, che lo interessano direttamente o suscitano la sua curiosità. Se provi ad affrontare questi argomenti prima che sia pronto ad accettarli, è possibile che il suo atteggiamento refrattario non soddisfi le tue aspettative e le tue parole potrebbero penetrarlo solo in piccola parte.

Il raggiungimento di livelli più elevati di consapevolezza porta con sé l'espressione di sempre più libertà e l'apprezzamento della libertà di essere di coloro che ti circondano. Ogni volta che cerchi di imporre all'altro ciò che senti, pensi e fai, come pensi di poterlo convincere delle tue parole, se entrambi siano in uno stato di tensione, resistenza e inflessibilità? In assenza di ricettività da entrambe le parti, il risultato atteso tarda a concretizzarsi.

Nel momento in cui vuoi costringere qualcuno ad accettare ciò che gli dici, il suo campo energetico si contrae a causa della tensione interiore che senti e trasmetti. A nessuno piace che il proprio spazio personale venga invaso o di essere offeso per le convinzioni che ha, da qui la riluttanza che sorge alle informazioni che verranno acquisite sotto l'azione di alcune pressioni.

Invece di cercare di costringere gli altri a conformarsi a delle verità in cui credi così tanto, parlagli in maniera distaccata, apertamente e onestamente e senza avere troppe aspettative. Rispettando e valorizzando la sua libertà, riesci a spingerlo a prestare maggiore attenzione alle prospettive che vuoi presentare e che possono aprire i suoi orizzonti.

Quando sei insoddisfatto del comportamento e del *feedback* di una persona che volevi aiutare, attraverso l'atteggiamento stesso di rifiuto e mancata accettazione che hai, in realtà invii loro ondate di densa energia che accentua la sua sofferenza. Ad esempio, supponiamo che ti trovi vicino a un collega che è arrabbiato, recalcitrante e parla ad alta voce. Se non sei abbastanza concentrato e risuoni qua e là con il modo in cui costui tratta la situazione che sta affrontando, dato che anche tu procedi allo stesso modo a volte, il suo comportamento finisce per disturbarti sempre di più. Forse stai cercando di dire una parola gentile per aiutarlo a calmarsi, ma in realtà stai iniziando a esprimere nervosismo e agitazione. Essendo infastidito come una risposta al suo stato, non lo aiuti affatto, ma lo disturbi ancora di più, tenendo conto che non sai cosa ha passato e cosa lo ha spinto a comportarsi in questo modo. Ciò fa sì che l'energia dietro il messaggio trasmesso amplifichi esattamente i sentimenti che si trovano sulla stessa lunghezza d'onda di quelli che crei ed emetti. Di conseguenza, il suo stato interiore di conflitto peggiora, il suo comportamento diventa ancora più aggressivo. Avvicinandoti a questa situazione da una prospettiva cosciente, ti mantieni in uno stato di equilibrio, compassione e accettazione sin dall'inizio, perché capisci che questo è il vero modo in cui puoi aiutarlo. Quindi, la brillantezza che esprimi e le alte onde di energia di alta vibrazione che emetti fanno sì che la tua semplice presenza gli porti uno stato di pace interiore e appagamento. Forse una volta eri come quel collega e forse a un certo punto anche lui riuscirà a percepire la Creazione più chiaramente, quindi non devi giudicarlo duramente.

Ognuno ha la propria realtà, secondo la quale crea una moltitudine di esperienze uniche. Non devi nemmeno convincere o costringere la persona accanto a te ad appropriarsi della tua realtà, perché, in base alla compatibilità, prende quello di cui ha bisogno da ciò che gli viene trasmesso. È come aprire una finestra a qualcuno e mostrargli il paesaggio, lasciandogli godere di ciò che gli piace, senza costringerlo a guardare soprattutto quello che tu vuoi.

LA CALIBRAZIONE DELL'ENERGIA
DEL CIBO

Qualsiasi tipo di alimento che introduci nel tuo corpo è energia e contiene innumerevoli codici di creazione che gli conferisce l'insieme delle sue caratteristiche. La tua energia si fonde con l'energia di ciò che mangi e tutte le particelle di vita risultanti da questa fusione sperimentano all'unisono come *una sola cosa*.

Ogni particella di vita che crea e compone *il cibo* inizia a calibrarsi secondo le dimensioni che comprendi ancor prima di introdurre nel corpo. Quando dividi una mela in tre persone, ogni pezzo è calibrato in modo univoco alla coscienza e alle esigenze del corpo di ognuno di loro.

Se le dimensioni sulle cui frequenze vibri sono superiori a quelle dell'insieme degli elementi costitutivi dell'alimento di riferimento, allora la sua energia viene calibrata per soddisfare le esigenze che hai, esprimendo proprietà e funzioni ad un alto potenziale. Viceversa, se le dimensioni sulle cui frequenze vibri sono inferiori o addirittura incompatibili con la vibrazione complessiva di alcuni nutrienti, allora sia accade una parziale fusione di energia, nel qual caso si verificano dei deficit, sia la loro assimilazione non può aver luogo, nel qual caso si verificano. avitaminosi.

Quando si beve acqua pura, composta da particelle di vita le cui frequenze sono molto alte, ciascuna cellula accede dal potenziale delle molecole d'acqua secondo la propria coscienza e viceversa. Ad esempio, le cellule che esprimono una densità maggiore e hanno una coscienza inferiore aumentano leggermente in vibrazione, mentre le molecole d'acqua decadono in luminosità. Al contrario, le cellule che hanno un'elevata coscienza vengono create in modo più armonioso con questa fusione, mentre le molecole d'acqua sono notevolmente potenziate da tutte le loro funzioni e proprietà. In altre parole, le calibrazioni avvengono su entrambi i lati.

Lo stesso principio si applica a qualsiasi altro esempio, nonostante venga consumato cibo malsano o si inala aria inquinata. Tuttavia, è preferibile garantire l'ambiente più puro possibile, in modo tale che anche le cellule con bassa luminosità possano evolversi in condizioni favorevoli.

L'atto di raccogliere un frutto può sembrare banale, ma ciascuna persona che raccoglie un frutto è attratto dall'energia nei cui confronti mostra la massima compatibilità, come accade persino nella scelta del giusto partner, delle relazioni e delle esperienze.

Gran parte delle persone che si riportano a un albero

da frutto credono che i suoi frutti non differiscano troppo l'uno dall'altro e li collocano addirittura nella stessa categoria di *semplici frutti*, senza sentire più profondamente che questi vengono alchimizzati in ogni cellula che li compone.

Sebbene faccia parte dello stesso albero e venga creata sullo stesso ramo insieme a molti altri frutti, ciascuna mela è unica. Il solo fatto che una mela non sia mai stata creata identica a quella che vuoi mangiare rende quella mela speciale.

Visto che ciascuna delle vostre cellule è dotata della capacità di sapere perfettamente quali funzioni svolgere e come creare la vita in modo perfetto e unico, allora che senso ha abbandonarsi alla posizione di dire di no? Per comprendere meglio questo aspetto, pensa che da quando esiste questo pianeta, non sono mai state create due cellule perfettamente identiche, eppure probabilmente ti sei abituato a porre limiti al tuo potere creativo e all'immaginazione che hai.

LA COMPRENSIONE DEI SOGNI

Poiché da bambino non ti viene insegnato a prestare attenzione alle esperienze che hai durante il sonno, tendi ad avvicinarti a questo stato che ti capita ogni giorno con una certa indifferenza e superficialità, senza tener conto del fatto che gran parte della tua vita la trascorri dormendo.

Finisci persino per vedere il sonno come una routine quotidiana da fare e come una perdita di tempo, poiché vorresti svolgere una moltitudine di altre attività durante il tempo che trascorri a riposare. Inutile dire che se hai un tale atteggiamento, allora anche l'energia del tuo corpo corrisponde a quella configurazione geometrica sulle stesse lunghezze d'onda dei tuoi sentimenti e credenze.

Man mano che la tua coscienza decade, quando ti svegli hai la sensazione che mentre dormivi sei caduto in un *vuoto* di cui ricordi troppo pochi dettagli e anche quelli distorti, incompleti o limitati.

Cosi come ti sembra naturale e salutare poter avere un controllo efficace sul proprio corpo mentre si è svegli, è normale avere abbastanza concentrazione e chiarezza su ciò che si sta vivendo durante il sonno.

Immagina come sarebbe quando mentre dormi riesci ad accedere ed esprimere in modo multidimensionale con ancora maggiore accuratezza le informazioni di cui hai bisogno e vivere da tantissime angolazioni e prospettive gli eventi della tua vita a cui ti senti ancora molto legato.

I sogni sono decodificazioni plastiche delle informazioni a cui accedi dal *continuum* informativo dei piani e delle dimensioni energetiche esistenti e possono essere considerati *un indicatore* della brillantezza e della consapevolezza che esprimi.

A volte i sogni possono contenere messaggi a cui è utile prestare attenzione per comprenderli e sentirli in profondità. Altre volte, per attirare la tua attenzione sulle questioni su cui devi riflettere, questi messaggi portano in superficie: ricordi dolorosi, desideri repressi, conflitti emotivi che ancora alimenti, ferite interiori ancora non rimarginate, paure, identificazioni e attaccamenti che scegli di tenerli stretti, debolezze, aspetti con cui scegli di mentire te stesso ecc.

Le esperienze che hai attraverso i sogni possono essere influenzate da:

✓ le attività che svogli prima di andare a dormire;
✓ le immagini e i film che hai guardato durante la serata;

✓ i sogni che ha la persona con cui vai a letto;

✓ le attività che svolgono o le informazioni che la persona accanto a te legge mentre dormi;

✓ i tuoi bisogni fisiologici che si verificano durante la notte;

✓ Le informazioni che hai decodificato durante il giorno, sia dal campo energetico di chi ti è vicino sia dal campo energetico dell'intero pianeta (puoi così prendere coscienza dei desideri e delle intenzioni degli altri, malattie o incidenti che possono capitare ad altri);

✓ il livello di assurdità manifestato nell'ultimo periodo e così via.

Allo stesso tempo, i sogni possono darti risposte ad alcune delle tue domande, informazioni su ciò che alcune persone pensano e sentono per te, conferme di certi sentimenti che hai avuto durante il giorno e ai quali non hai prestato troppa attenzione oltre ad avvertimenti e soluzioni su ciò che è molto probabile che accada in futuro. Quando ti svegli, ricordi solo quelle informazioni sulle cui lunghezze d'onda ti trovi ancora.

Benché alcuni sogni sembrano essere stati dimenticati o sono considerati privi di significato, i loro messaggi rimangono per sempre impressi nella tua energia. In alcune circostanze, queste informazioni ti aiutano a fare le scelte più appropriate in modo spontaneo e ad intuire come si svolgeranno determinati eventi.

Come abbiamo già menzionato, sei un insieme di forme di energia di diversa densità, manifestate in vari modi, simultaneamente con la moltitudine di oscillazioni che provi. Quando cadi in stati bassi, esprimi soprattutto una certa parte delle particelle meno luminose della vita che ti compongono. Se ti addormenti sconvolto e stressato e ti svegli in uno stato simile, è ovvio che in tali momenti non ricordi molto dei messaggi a cui hai avuto accesso durante il sonno. Ipoteticamente parlando, in un contesto in cui non saresti molto consapevole di te stesso, ma ricorderai comunque in dettaglio le informazioni sugli eventi con cui ti sincronizzerai presto, è assolutamente possibile che, non avendo più la stessa chiarezza di quando li hai decodificati, metti ostacoli sulla tua strada. Di conseguenza, proverai a dare spiegazioni logiche sul significato dei sogni che hai avuto e riempire le parti mancanti, credendo illusoriamente di poter facilitare quelle materializzazioni se procedessi in un modo o nell'altro.

È utile e appropriato approfondire le informazioni a cui sei e con cui ti senti preparato. Altrimenti, ti travolgono e finisci per emettere scenari o ipotesi attraverso le quali ti auto saboti. Quindi, se scegli di provare spesso sentimenti densi, è preferibile non sapere cosa succederà dopo. In caso contrario tenderai ad intervenire e cambiare il tuo futuro in modo tale da attrarre situazioni molto diverse da quelle che avresti creato se avessi lasciato che le cose fluissero seguendo il loro ritmo e modalità.

Le oscillazioni delle onde cerebrali rientrano in un certo gamma di frequenze che possono aumentare o diminuire a seconda della purezza del corpo, della chiarezza dei pensieri e delle emozioni, delle attività quotidiane. Uno dei fattori per cui non ricordi cosa sogni è che durante il sonno le onde cerebrali raggiungono determinate frequenze, e quando ti svegli, solo poche aree cerebrali rimangono compatibili con le informazioni a cui si accede.

Quando dormi, visto che il corpo si rilassa, le dinamiche dei processi di rigenerazione, guarigione e purificazione si intensificano, di conseguenza aumenti la vitalità ed è facile esprimere chiaramente e rapidamente la conoscenza che è tutt'uno con te.

Affinché il corpo sia all'altezza dell'accesso ad alcune informazioni preziose (che contengono molte verità), è necessario scegliere una dieta pura, in modo che gli elementi del tuo corpo siano raffinati, oltre a focalizzare la tua attenzione sulla tua evoluzione. Per comprendere meglio questo aspetto, pensa al fatto che sei composto da una moltitudine di elementi che hanno densità e purezza variabili. Mentre purifichi il tuo corpo, sia il tuo pensiero che i tuoi sentimenti vengono purificati e, di conseguenza, se stai dormendo o sei sveglio, sei in grado di essere chiaro su ciò che ti sta accadendo.

Nella misura della tua ignoranza, se mentre sei sveglio produci danni significativi al tuo corpo (attraverso dipendenze, dieta e ciò che scegli di sperimentare), quando dormi, consenti una riparazione superficiale e insufficiente di tutto ciò che rappresenti. Per rimanere in buona salute a lungo, è importante che il rapporto tra distruzione e riparazione sia a favore della riparazione e dei processi di creazione.

Allo stesso tempo, è importante non creare una limitazione dal fatto che solo durante la notte puoi riposare, guarire e rigenerarti molto bene. Nelle regioni settentrionali, le persone vivono in una realtà in cui quasi metà dell'anno il sole splende solo poche ore al giorno, eppure i corpi di molti di loro sono forti, vigorosi e sani.

Tutto ciò che accade durante il sonno è un riflesso del modo in cui ti manifesti nei momenti in cui il tuo corpo è sveglio, e così conosci meglio te stesso. Non puoi essere agitato e disturbato durante il giorno o anche prima di andare a letto e di notte per esprimere un perfetto equilibrio. Il modo in cui oscilli mentre sei sveglio influenza il modo in cui oscilli durante il sonno e viceversa. Molte persone vogliono fare solo bei sogni, ma, considerando che l'energia è subordinata alle oscillazioni e che la linearità assoluta non esiste, non si possono avere sensazioni ed esperienze di un certo tipo.

Le sensazioni che generi prima di addormentarti sono un fattore essenziale che influenza la qualità del tuo sonno, e non solo. Probabilmente ti sarà capitato spesse volte di svegliarti stanco, anche dopo abbastanza ore di sonno, e ne rimani sorpreso tanto da non trovare una spiegazione. Se durante il giorno sei stressato e preoccupato, prima di andare a dormire hai molti pensieri che hai difficoltà a gestire e che difficilmente ti fanno addormentare. Pertanto, il passaggio dallo stato di sonno avviene difficilmente e in uno stato di tensione, e i livelli di rilassamento che raggiungi non sono così profondi da produrre e catturare abbastanza energia. In altre parole, quando dormi, puoi sentirti più rilassato che durante il giorno, ma ancora teso, a differenza di quelli che di solito sono molto più rilassati.

Allorquando dormi in una posizione scomoda, sei subordinato qua e là a uno stato di tensione, e il sonno è meno riposante, a differenza della posizione del sonno sulla schiena, che ti permette di essere più rilassato e sentirti più leggero.

Le intenzioni con cui ti addormenti e le intenzioni con cui ti svegli sono quelle che determinano il tuo sonno e quello che succede durante la giornata.

Mentre dormi, le convinzioni limitanti che sostieni fortemente mentre sei sveglio si indeboliscono e l'energia degli elementi che ti compongono elabora facilmente le informazioni che desideri materializzare.

È utile proporti prima di addormentarti:

✓ di essere rilassato;

✓ avere pensieri ed emozioni chiari;

✓ relazionarsi alla Creazione con comprensione e compassione;

✓ distaccarti sempre di più da quelli che non sono

adatti alla tua crescita;
- ✓ fare delle scelte sane;
- ✓ materializzare tutto ciò che è vantaggioso e adatto per te ecc.

Coloro che di solito si mantengono in amore, con la mente chiara, calmi, sereni e fluenti, sono piena di vitalità ed esprimono moderazione, distacco e comprensione. Così riescono a gestire le situazioni che devono affrontare.

Mantenendosi in una direzione prevalentemente ascendente, si riempiono di molte forme di energia intensamente luminose e non sentono più tanto il bisogno di dormire, il loro sonno si riduce a poche ore la cui qualità è particolarmente appagante.

Tali persone, che siano addormentate o sveglie, si sentono molto più riposate e rilassate, hanno un maggiore controllo sui loro stati d'animo, ricordano in dettaglio cosa sta succedendo loro e così via.

Ti è stato insegnato ad accedere alle informazioni una per una, a prendere separatamente ogni momento e a inquadrare ciò che ti sta accadendo in schemi attraverso i quali collocare le tue esperienze sull'asse del *tempo terrestre*. Tuttavia, durante il sonno, accedi in modo sincrono a una moltitudine di informazioni al di là della forma, del tempo e dello spazio e il tuo corpo le adatta al livello di comprensione che ha quando è sveglio e le traspone, più o meno in maniera plastica e distorte sotto forma sogni.

Prendiamo un esempio limitato secondo il quale ieri notte hai fatto in sincrono dieci sogni, anche se secondo la prospettiva dell'unità, non puoi assegnare loro un numero, considerando che l'esistenza si trova in un flusso continuo. Inoltre, le esperienze che hai durante la tua vita non possono essere contate, perché fluiscono perfettamente l'una dall'altra. A causa delle tue percezioni e del fatto che sei abituato a tradurre tutto in modo *logico*, lineare e per fasi, pensi di aver dimenticato la maggior parte dei tuoi sogni, e ciò che ricordi è incompleto, frammentato e preso separatamente.

Come sarebbe rinunciare alla percezione che hai acquisito, secondo la quale *è naturale dimenticare e non riesci a prestare attenzione a quanti più dettagli possibili*? Come sarebbe non pronunciare più così spesso che *hai dimenticato*?

Direttamente proporzionale alla tua flessibilità e apertura nei confronti della conoscenza con cui sei tutt'uno da sempre, esprimi consapevolmente molte delle informazioni a cui accedi in modo sottile mentre dormi o quando sei sveglio.

Man mano che cresci in luminosità e consapevolezza, i sogni diventano più piacevoli e lucidi. Invece di decodificare le informazioni sotto forma di vari contesti astratti, cornici sfocate, persone ed esseri più o meno conosciuti, accedi ad esse con chiarezza, al di là di ogni distorsione.

*Gli elementi cosmici da ogni parte
contribuiscono alla creazione
continua sia del nostro pianeta che
degli esseri che lo abitano, proprio
come noi contribuiamo alla creazione
del Cosmo.*

Capitolo 6

OSCILLAZIONI DELL'ENERGIA

Le oscillazioni *rendono possibile* la vita e che la stessa avvenga in una maniera così incantevole e perfettamente *orchestrata*.

Ogni brano musicale è meraviglioso proprio per l'alternanza di più note musicali. In mancanza di questa alternanza, le canzoni non esisterebbero nemmeno. Immagina come sarebbe ascoltare la stessa nota musicale o lo stesso suono.

È nella natura delle onde energetiche oscillare, fondersi e co-creare con altre onde energetiche che attraggono a seconda della compatibilità. Pertanto, essendo energia, il modo in cui ci manifestiamo non può è uno perfettamente lineare.

Nessuna linea è perfettamente diritta, perché se la guardassi al microscopio noteresti che presenta una moltitudine di sinuosità che, normalmente, potresti dire che sono impercettibili.

Tenendo conto che la linearità assoluta non esiste nemmeno, volerla esprimere è impossibile. Potresti non battere le palpebre nemmeno una volta, rimanere bloccato in una scadenza infinita o in una contrazione permanente?

Ogni ispirazione è seguita da un'espirazione; ogni contrazione muscolare è seguita da un rilassamento; le secrezioni e gli ormoni vengono rilasciati in quantità diverse a seconda di determinati parametri; le palpebre hanno un ritmo specifico quando sbattono; i momenti del discorso si alternano a quelli del silenzio, ecc. È importante imparare l'abilità con cui oscillare, se desideri essere una persona più armoniosa. Soffermandoti in una certa nota per troppo tempo e vivendo ripetutamente gli stessi tipi di esperienze, la tua vita diventa come un suono che, attraverso il suo innaturale prolungamento, finisce per diventare monotono, poco attraente, fastidioso, stancante e persino distruttivo.

Persistendo nella monotonia, decadi e diventi privo di immaginazione, creatività, flessibilità, adattabilità...

Finché esisti in questa forma umana, è vitale offrirti in modo equilibrato esperienze la cui caratteristica principale è la diversità. *La vita* tra le altre cose, significa anche varietà, novità, unicità. Man mano che rifiuti queste virtù, si spegne anche *la vita* dentro di te.

L'ALTERNANZA DEI SENTIMENTI

Una volta compreso che le oscillazioni sono perfettamente naturali, generi sempre meno tensione, frustrazione o insoddisfazione per il fatto che non stai andando in una direzione verso l'alto e accetti che, nel corso della vita, ci sono eventi che possono sollevarti o abbassarti. Anche cosi, alcune persone vogliono avere solo realizzazioni, e omettono l'aspetto secondo cui diventano sempre più forti man mano che superano le situazioni con le quali vengono messe alla prova le loro debolezze.

L'ostinazione a rimanere in una posizione e il rifiuto di ogni altra possibilità di *essere* riflette un approccio rigido e, allo stesso tempo, superficiale. Ad esempio, ci sono persone che immaginano di poter continuare a restare attaccato per il resto della loro vita a qualcuno. Di conseguenza, la tensione che traspongono in quel rapporto comincia ad aumentare dal momento in cui è avvenuta *la cattura*, essendo simile all'effetto della palla di neve. Ovviamente, a un certo punto la tensione diventa insopportabile e chi viene catturato viene rilasciato dalla persona che ha cercato di costruire una relazione con la forza. Così scopre il potere di distaccarsi da ciò che non gli fa bene e impara a non permettere ad altri di limitare i suoi diritti e le sue libertà.

Come risultato della delusione della separazione, il dolore provato da coloro che sono abituati ad aggrapparsi agli altri è accompagnato da un intenso sentimento di isolamento, impotenza e sfiducia. Questo declino ha il potenziale di determinarlo a riflettere sulla sua situazione, a imparare a rispettare la libertà degli altri e a rendersi così piacevole in modo tale che coloro che lo circondano desiderano di trovarsi in sua presenza.

Esprimi equilibrio quando tra le oscillazioni della tua energia vi è un passaggio tranquillo. Pertanto, le cadute sono così piccole che spesso sono quasi impercettibili. Al contrario, mostri un comportamento instabile e imprevedibile quando ci sono notevoli differenze tra le onde energetiche che senti e i passaggi improvvisi dall'una all'altra. In tali momenti ti può capitare di essere: calmo oppure nervoso; gentile oppure duro; laborioso oppure pigro; energico oppure apatico ecc.

Mentre alcune persone si creano una vita tranquilla e armoniosa e mantengono una relativa coerenza, altre attraggono frequentemente esperienze tumultuose tra le quali ci sono enormi discrepanze. Tutto questo fa sì che la loro *linea* di vita includa una moltitudine di alti e bassi ripidi. È evidente che chi oscilla in maniera caotica tra entusiasmo e disperazione perde la magia del momento presente.

Ci sono persone che, nonostante siano cresciute in famiglie povere e abbiano avuto molte privazioni nella prima parte della vita, riescono a prosperare da sole. In altre parole, l'ambiente stesso in cui si sono sviluppati li ha motivati a coltivare le qualità necessarie per materializzare la ricchezza spirituale e materiale che sentivano nel loro profondo di essere degni. Altri sono spensierati durante l'infanzia, grazie agli sforzi dei genitori, e poi quando si trovano nella situazione di cavarsela da soli, scoprono di non saper gestire i propri sentimenti ed esperienze. Quindi, il piacere nella zona di comfort rallenta tanto più la loro evoluzione in quanto non si sono allenati abbastanza per affrontare le prove della vita, che, prima o poi, induce all'illusione della sofferenza e all'impossibilità di superare tutto ciò che ritengono siano problemi.

Tutti coloro che fanno eccessi per certi aspetti si confrontano con deficit e carenze in altri aspetti. Pertanto, è utile coltivare lo stato di equilibrio in modo da non ritrovarsi nella posizione di cadere spesso negli estremi.

Se osservassi attentamente il tuo comportamento, noteresti che durante le giornate passi attraverso un'alternanza di diversi stati: a volte sei infantile, altre volte maturo e profondo; a volte sei ottimista, altre volte sei pessimista; a volte sei felice, altre volte sei triste e cerchi ragioni per sorridere; a volte sei coraggioso, altre volte hai paura; a volte sei sognatore, altre volte sei pragmatico; a volte vedi la bellezza ovunque, altre volte pensi che non ti accontenta nulla. Lo stesso schema si può osservare in natura: i boccioli di rosa sbocciano, poi passano e cadono; a volte le colture sono ricche, altre volte sono modesti; a volte i fiumi sono vorticosi, e altre volte scorrono senza intoppi...

Lo stesso accade nella società in cui viviamo, per cui dal punto di vista economico si alterna la prosperità al declino, e dal punto di vista sociale la pace si alterna al caos. Un comportamento che piace all'occhio di tutti è l'espressione della manifestazione maggioritaria delle particelle di vita che esprimono un'alta vibrazione. D'altra parte invece, ogni volta che hai attacchi di rabbia, provi risentimento, sofferenza o gelosia e ferisci chi ti circonda a seguito dell'esteriorizzazione delle proprie *ferite* si manifesta specialmente il peso delle particelle di vita a bassa vibrazione.

Quando viene toccato un argomento che ancora ti turba e ti rattrista (come la mancanza di affetto per te da parte di uno dei tuoi genitori), ciò che sostiene i tuoi sentimenti forti sono le particelle di vita che ancora desiderano intensamente sperimentare la realizzazione e l'amore che puoi provare accanto a quel genitore.

Le oscillazioni comportamentali si osservano sia nei rapporti che hai con chi ti circonda sia nel rapporto che hai con te stesso. Ad esempio, a volte sei in sintonia con l'attegiamento dei tuoi amici, e altre volte senti di non avere molto in comune con loro. In alcuni giorni ti percepisci come una bella persona mentre in altri giorni non ti piaci per come sei.

Allorquando ti senti incompreso, stressato, insoddisfatto o nervoso non riesci ad esprimere troppo affetto e comprensione. Di conseguenza benché non esista un vero motivo di disputa, cominci ad alzare la voce, a mancare di rispetto, a offendere o addirittura a diventi violento e, dopo esserti calmato, ti penti del modo in cui ti sei comportato.

Quindi, l'atteggiamento che hai quando ferisci coloro con cui interagisci può essere un'espressione delle tue ferite interiori e delle difficoltà che porti in giro senza significato. Da un alto stato di felicità e appagamento interiore non vuoi essere arrabbiato, o ferire chi ti sta accanto, ma piuttosto essere amorevole, offrire sollievo e contribuire all'elevazione dei suoi sentimenti.

È importante prestare attenzione alle parole che dici e al comportamento che hai, visto che tutto il tuo essere crea i contesti giusti per evidenziare gli aspetti esistenziali che tratti con indifferenza.

Puoi scegliere di perderti nella sofferenza e arrabbiarti con te stesso per il modo in cui hai trattato il tuo prossimo, oppure puoi scegliere di cercare risposte nel profondo del tuo essere in modo da comprendere meglio la fonte dei tuoi sentimenti negativi e i modi per superare la propria condizione.

Anche se le persone che ami sono in un certo modo in questo momento, le oscillazioni delle particelle di vita che li compongono sia avranno una traiettoria prevalentemente ascendente, sia vibreranno su frequenze sempre più basse. In entrambi i casi, se le particelle che ti compongono non tengono il passo con il ritmo con cui i tuoi cari si evolvono o decadono e non vanno relativamente nelle stesse direzioni, a un certo punto scopri che la compatibilità tra di voi è diminuita considerevolmente e che non vi capite più. Se invece siete abituati a sostenervi a vicenda, seguire sogni comuni, condividere i vostri sentimenti e fondere da più punti di vista possibili, allora il vostro rapporto si rafforza e la compatibilità tra di voi aumenterà.

Le persone stanno cambiando e quella che hai incontrato un secondo fa non è più la stessa di quella fra pochi minuti, figuriamoci tra un mese o cinque. Tuttavia, la maggior parte si aspetta che il partner della coppia rimanga lo stesso per tutta la vita, ma ciò non è possibile, poiché è essenzialmente l'energia che oscilla e scorre nella direzione in cui risuona. Nemmeno lo stesso albero crea la stessa quantità di frutti e foglie ogni anno, poiché non inizia nemmeno a fiorire lo stesso giorno.

Tutto si trova in continua trasformazione.

LA DIVERSITÀ NELLA NATURA

Le oscillazioni avvengono di continuo, in modo che tutto si intreccia perfettamente. Ad esempio, non esiste un punto di demarcazione tra il giorno e la notte o tra le stagioni (oltre a quelle che sono impostate su carta o su un dispositivo elettronico), in quanto scorrono l'una dall'altra.

La natura non si oppone al cambiamento, ma fluisce con ciò che viene. Le onde dell'oceano non si bloccano in un flusso continuo, ma ogni flusso è seguito da un riflusso. I fiori non rimangono per sempre fiorite, proprio come il vento non soffia all'infinito nella stessa direzione, ma sia i fiori che il vento sono vivi attraverso di noi per sempre.

Il cielo non ha sempre lo stesso colore, luminosità e disposizione delle nuvole, così come nemmeno le condizioni meteorologiche non si soffermano in una singola situazione. Le giornate di sole si alternano a giornate in cui piove, nevica, oppure è nuvoloso. È questa alternanza di tempo che ha la sua bellezza. Ti piacerebbe avere ogni giorno della tua vita la neve, la bufera di neve o l'ondata di caldo?

La diversità è piacevole, tonificante e ti fa sperimentare una vasta gamma di esperienze sensoriali che manterranno la tua curiosità, la gioia e il piacere di scoprire la Creazione in quanti più aspetti possibile.

La qualità della vita e la longevità ti vengono determinate anche dalle oscillazioni delle energie che compongono l'ambiente, visto che il tuo corpo si crea costantemente con gli elementi che lo circondano.

Ti sei mai chiesto quale tra le specie di alberi vivono più a lungo, quale ha la capacità di rigenerazione più intensa oppure quali sono i fattori a sostegno di questa straordinaria longevità?

Ci sono alberi che rimangono verdi tutto l'anno e alberi che possono raggiungere un'età fino a diverse migliaia di anni, come la sequoia, il cipresso, l'ulivo. Il loro ambiente di vita rimane in qualche modo costante, nel senso che non ci sono cambiamenti improvvisi e molto grandi delle condizioni meteorologiche. Inoltre finiscono per avere dimensioni e qualità impressionanti, soprattutto perché abbondano di vigore e freschezza, non dovendo rinunciare a una parte significativa di ciò che rappresentano per conservare la propria energia a un livello ottimale.

Lo stesso accade con gli esseri umani. Quando la sua coscienza è in declino ed è soggetta ripetutamente e per troppo tempo a oscillazioni che lo fanno sprofondare in sentimenti densi, la sua vitalità diminuisce e perde una moltitudine di cellule, oltre ad altri elementi costitutivi.

Lo stress che aumenta da un giorno all'altro diventa gradualmente uno stato di normalità e non è affatto un'espressione dell'ascensione della coscienza, ma del decadimento. Questo fa sì che il corpo si degradi e invecchi a un ritmo sostenuto.

La progressiva diminuzione della vitalità si materializza attraverso:

- ✓ il diradamento dei peli del cuoio capelluto;
- ✓ la riduzione della capacità di adattamento alle condizioni ambientali;
- ✓ la produzione e l'assimilazione impropria o anormale dei nutrienti e dei pigmenti di cui il corpo ha bisogno;

✓ alterazione delle funzioni e delle proprietà cellulari;

✓ l'incapacità di produrre cellule sessuali fertili;

✓ la riduzione del numero di cellule staminali;

✓ il rallentamento dei processi di guarigione;

✓ l'atrofia di diverse parti del corpo ecc.

Tutto quanto sopra può essere considerato segno di vecchiaia, ma in realtà sono indizi della riduzione della luce della persona in questione.

Per mantenere la giovinezza del tuo corpo, è necessario che le esperienze che vivi siano rinfrescanti attraverso la diversità che le caratterizza. Quindi, non soffermandosi nella monotonia e fare sempre qualcosa di nuovo contribuisce al tuo rinnovamento. Altrimenti le cellule che ti compongono non si rinnovano adeguatamente e il loro numero diminuisce, così come diminuiscono anche la diversità, *il numero* e la qualità delle tue esperienze.

Quando pensi ripetutamente agli eventi infelici che hai attraversato lungo la tua vita, non consenti che il nuovo accada attraverso di te, soprattutto perché tendi a vedere le cose nella stessa nota di identificazione.

Non basta esistere, ma è molto importante vivere con consapevolezza e gratitudine per l'essenza che c'è dentro di te e intorno a te.

Il semplice fatto di onorare *la vita* e di contribuire con le tue scelte a sostenere e creare l'ambiente adeguato ad essa, determina l'aumento del livello energetico e dell'intensità della luminosità delle particelle che ti compongono, e non solo.

Nella misura in cui partecipi alla distruzione della Creazione e manifesti troppo poco il tuo potere creativo, anche essendo indolente e non prendendo posizione, *la vita* dentro di te gradualmente svanisce e decade. Tormentando e uccidendo esseri viventi o contribuendo indirettamente al sacrificio di innumerevoli creature, uccidi pure parti di te stesso, perché sei uno con tutto ciò che esiste.

Attraverso il tuo comportamento e le tue azioni distruttive alteri il modo in cui gli altri sentono, pensano, scelgono, ecc., e allo stesso tempo distruggi te stesso. In altre parole, se causi sofferenza agli altri, se li manipoli e li consigli erroneamente, se li nutri intenzionalmente con illusioni e bugie, fai del male anche a te.

Poiché il macro è proiettato nel micro e viceversa, qualsiasi danno che causi a qualcuno ha conseguenze non solo su di te ma anche su altre forme di vita esistenti.

In generale, quando vuoi per invidia che gli altri non prosperino e non riescono a creare le loro vite in un modo più brillante della tua, nemmeno tu riuscirai ad arrivare al di sopra di loro. Soltanto il fatto di invidiare la bellezza e l'abbondanza di coloro che ti circondano significa augurare loro il decadimento.

Concentrarsi sugli eventi distruttivi della vita degli altri e dare loro una portata esagerata ogni volta che li metti in discussione implica concentrarsi sul lato negativo delle realtà che non ti riguardano direttamente e amplificare *l'oscurità* non solo dentro di te ma persino dentro coloro con cui oppure di cui stai parlando.

A prima vista potresti ritenere sia difficile o impossibile evitare di parlare su molti degli aspetti assurdi che trovi nella vita di tutti i giorni. Tuttavia, è utile tenere a mente che se presti loro più attenzione di quanto sia naturale, a un certo punto, indebolirai la tua forza e chiarezza, e sarà sempre più difficile per te rialzarti da dove sei caduto.

È meraviglioso indovinare cosa, a chi, quando e come comunicare. Così, la comunicazione si trasforma da atto banale in una forma d'arte che ha il potenziale per risvegliare brillantezza e profondità negli esseri circostanti.

Ci sono persone che, quando raggiungono i 30 anni, iniziano a sentirsi vecchie e creano di conseguenza, il loro metabolismo allontanandosi dalla *normalità* che avrebbero dovuto avere secondo un livello di consapevolezza più alto.

Di conseguenza, se crei la tua vita in base a numeri o modelli scelti da uno stato non ispirato, non aspettarti di fiorire, ma piuttosto di appassire. L'età stessa è solo un numero e non ha nulla a che fare con l'integrità fisica, mentale ed emotiva.

E in natura, a seconda delle dinamiche determinate dalla loro coscienza, alcuni fiori passano entro poche ore dalla fioritura, mentre altri durano giorni. Alcuni alberi vivono per migliaia di anni, mentre altri vivono solo pochi anni. Alcune piante si rigenerano molto velocemente dopo l'azione di fattori nocivi, altre si rigenerano molto lentamente o non si riprendono.

La stessa cosa accade con gli umani. Quanto tempo vivi e come vivi non ha nulla a che fare con i numeri, ma con:

- ✓ quanto ti senti vivo;
- ✓ quanta vita crei;
- ✓ come ti relazioni con te stesso;
- ✓ quanto sei aperto all'esistenza;
- ✓ quanto sono vitali e vari gli elementi che attiri nel tuo corpo;
- ✓ quanto profondo e complesso manifesti il tuo potere creativo ecc.

Nella misura in cui dirigi l'attenzione verso te stesso, verso la tua crescita e sviluppo a tutti i livelli, ti evolvi più facilmente, hai il potere di materializzare più velocemente ciò che vuoi, sei più longevo e più bello. Le persone che si concentrano principalmente su ciò che sta accadendo intorno a loro, rispettivamente sul giudicare i problemi oppure i successi degli altri, distribuiscono la loro energia in più direzioni e rimangono senza le risorse necessarie per realizzare i loro sogni.

Per sentirti pieno di vita, è importante evitare di fare eccessi e mantenere un certo equilibrio nei modi in cui ti doni. L'uomo si dona attraverso tutto ciò che crea ed *è*, come ad esempio i suoi sentimenti, le sue parole e le sue azioni, e se a volte offre oltre la sua capacità di ripristinare la sua energia, allora si sente stanco.

Gli alberi si donano sia dai fiori, dai frutti, dai semi, dalla bellezza o dalle molecole di ossigeno che creano, ma anche da molto di più. Se succede che un albero dona molti frutti in un anno e si esaurisce, l'anno successivo produce meno frutti, perché ripristina il suo livello energetico ottimale attraverso la conservazione. Pertanto, gli elementi che compongono le forme di vita tendono da sole a raggiungere diversi punti di equilibrio.

L'armonia ha una moltitudine di *sfumature* uniche. Uno stato di armonia per una persona può essere considerato uno stato di caos per un'altra. Alcune creature si sentono meravigliose nelle regioni aride mentre altre in ambienti tropicali. L'aridità che amano gli ulivi è distruttiva per gli alberi che amano il fresco e l'umidità e viceversa.

Un altro fattore che può comportare un elevato consumo energetico è la necessità di adattare il proprio corpo ad un ritmo veloce alle fluttuazioni delle energie circostanti. Queste variazioni possono essere meteorologiche, emotive, mentali, economiche e altro ancora.

Prendendo in considerazione l'aspetto secondo cui ci creiamo e ci influenziamo a vicenda, il semplice fatto di vivere in una famiglia i cui membri hanno spesso un comportamento prevalentemente fissista e che sono spesso testardi e severi può contribuire al decadimento della tua salute. D'altronde, uno dei fattori coinvolti nell'abbassamento del sistema immunitario è vivere in un ambiente che riflette rigidità e stagnazione. Scegliendo invece di essere flessibili e di vivere circondati da persone flessibili, il tuo corpo si adatta facilmente alle trasformazioni che avvengono intorno a te e consuma meno energia in questo senso.

L'ambiente in cui scegli di vivere lascia il segno non soltanto sui pensieri e sulle emozioni che crei e sul modo in cui tutto il tuo corpo lavora. Ad esempio, in aree ostili ma comunque abitabili, come aree geografiche desertiche, rocciose o ricoperte di ghiaccio, si possono trovare persone che spesso hanno difficoltà a mantenere il proprio corpo in parametri operativi ottimali. Consumano una grande quantità di energia per contrastare gli effetti del loro ambiente. Non solo la qualità della loro vita lascia molto a desiderare, ma anche l'aspettativa di vita è inferiore rispetto a chi vive in ambienti fertili e favorevoli alla vita.

Il deserto è un ambiente di forti contrasti, ma comunque povero di diversità. Di conseguenza non abbonda nemmeno di esseri viventi o di colori vivi e vari, e la densità che presentano le energie che lo creano e lo abitano è molto maggiore. Le regioni polari e rocciose non oscillano troppo visibilmente, ma i cambiamenti che avvengono nella loro dinamica, che d'altronde è lenta, si materializzano nello scioglimento e nella rottura dei ghiacciai, nel distacco di alcuni pezzi di roccia, nell'aumento e nella diminuzione delle dimensioni delle montagne ecc.

Nelle regioni con quattro stagioni tra le quali vi

sono notevoli differenze nei modi in cui oscillano le diverse forme di espressione dell'energia, la natura è influenzata dalle fasi naturali di adattamento, quali: inverdimento, fioritura, fruttificazione, ingiallimento e caduta delle foglie, tutto ciò realizzando un circuito ripetitivo.

Anche se visibilmente non ti percepisci molto diverso, quando ti guardi allo specchio, ogni stagione si manifesta attraverso di te. Contemporaneamente ai cambiamenti che avvengono in natura, le diverse parti del tuo essere si moltiplicano, si rinnovano, fioriscono, diventano più belle e piene di vitalità, portano frutto, donano, conservano adeguatamente la loro energia, svaniscono, rimangono in un certo stato latente, si decompongono e così via. A seconda di tutte queste fasi che attraversi, ti senti in diverse percentuali energico, sognatore, felice, apatico, assonnato, malinconico ecc.

I CICLI DELLA VITA

Le oscillazioni si riflettono anche per quanto riguarda la nascita e la cosiddetta *morte* del corpo fisico. Dal punto di vista energetico non c'è morte, ma soltanto *vita*. Quella che viene chiamata morte è solo un modo per trasferire energia da una forma di manifestazione a un'altra. Puoi comprendere il fenomeno della *morte* del corpo come un *refresh* per l'energia che sei, che scorre verso nuove esperienze che favoriscono la sua perfezione.

L'attaccamento al corpo e alle esperienze palpabili alimenta la tua illusione secondo cui oltre questa vita smetti di esistere, ma l'energia non può essere distrutta, ma si trova solo in continua trasformazione.

L'energia scorre in un numero infinito di direzioni, e questo rende vari gli ambienti ei corpi viventi che crea, secondo i diversi livelli di luminosità che esprime.

Gli elementi della natura e dell'Universo sono dinamici, cioè a volte sono attratti per fondersi e creare nuovi corpi, altre volte si separano tra loro e viaggiano in altri ambienti, dove si susseguono vari cicli di trasformazione, per poi formare altri corpi e così via.

L'energia che siete non può rimanere *intrappolata* per sempre in un luogo e in una posizione, tanto più che è nella sua natura oscillare e creare corpi sempre più complessi e vivi i cui codici di creazione sono compatibili con altre dimensioni.

LE OSCILLAZIONI DEGLI ELEMENTI CHE TI COMPONGONO

Gli elementi cosmici contribuiscono ovunque alla creazione continua sia del nostro pianeta che degli esseri che lo abitano, così come noi contribuiamo alla creazione del Cosmo. Di conseguenza il nostro corpo è composto da elementi che si trovano sia sulla Terra che nel Multiverso, tutti da sempre in un circuito cosmico infinito.

Essendo interconnessi come un tutto unitario, siamo determinati dagli ambienti da cui ci formiamo, così che a seconda della coscienza, della dinamica e delle oscillazioni degli elementi circostanti, tutta la nostra vita è influenzata.

Nelle condizioni in cui l'inquinamento del pianeta continua, in nome del profitto o dello pseudo-comfort momentaneo, la qualità della nostra vita sarà commisurata alle azioni egoiste che intraprendiamo come specie umana, in quanto gli elementi della natura aumenteranno di densità e degenereranno.

Certo, tutto ciò che esiste ha la capacità di rigenerarsi e rinfrescarsi in termini di circuiti che si svolgono. Se il tasso di inquinamento dovesse diminuire considerevolmente, il pianeta si purificherebbe da solo, abbonderebbe in vitalità, splendore e colori vibranti e i corpi che si creerebbero da esso sarebbero più sani.

Se scegli di vivere in un ambiente pulito, che può garantirti un cibo più puro, gli elementi componenti del corpo realizzeranno processi creativi complessi che sosteranno la tua salute e longevità. Altrimenti, il tuo corpo si deteriora rapidamente, poiché gli elementi più densi che ti compongono hanno un'ampia azione distruttiva sugli altri.

Dato che formiamo un tutto insieme a tutto ciò che esiste, le oscillazioni di ciascuno di noi sono influenzate non solo dagli eventi che avvengono a livello planetario, ma anche da quelli che avvengono nell'Universo, quali: l'avvicinamento e rimozione dei satelliti naturali; cambiare l'asse e il senso di rotazione dei pianeti; distruzione di sistemi solari; l'impatto tra i vari corpi cosmici; allineamento dei pianeti, diminuendo o intensificando la luminosità dei diversi soli ecc.

A sua volta, anche la Terra è un essere vivente, motivo per cui è influenzata dalle onde energetiche emesse sia dallo spazio esterno che dagli esseri che lo abitano. L'insieme delle tensioni che tutti noi creiamo si accumula e si fa sentire, anche sul pianeta, per equilibrare, reprimere e scaricare attraverso terremoti, tsunami, uragani, eruzioni vulcaniche ecc.

Così l'uomo, a seguito dell'esperienza frequente e ripetitiva di alcuni disagi che imprimono e suscitano la sua delusione e rabbia, per liberarsi dalla negatività, tende talvolta a scaricarsi in maniera caotica e distruttiva, rispettivamente ad agitarsi, ad urlare, rompere oggetti o diventare aggressivo. Ovviamente questo caos può assumere diverse sfumature e può essere visto da molte angolazioni.

Colui che coltiva abitualmente il suo stato di coscienza, si rende subito conto del disordine che si insedia nel suo essere. Di conseguenza, ristabilisce facilmente il suo equilibrio e alchimizza le sue energie in modo tale da dare una bella direzione al momento presente.

Pensa di far parte di un circuito energetico infinito, che oscilla costantemente, in cui ci saranno sempre esseri che pongono limiti assurdi, che non riescono a gestire i propri sentimenti, che reprimono in ogni sorta di modi violenti, e si impegnano in una serie di azioni distruttive. La domanda è: *Come vuoi crearti e da quali forze esterne ti lasci influenzare?* Siamo tutti *il risultato* di tutto ciò che accade nell'Universo, ma allo stesso tempo siamo dotati del potere di creare. In altre parole, abbiamo la capacità di plasmarci in base alla grandezza e alla brillantezza che manifestiamo.

Immagina la tua rete di vita sotto forma di un oceano incommensurabile. Ogni creatura che contribuisce alla creazione dell'oceano e che a sua volta ne è avvolta, genera attraverso ogni suo movimento e respiro una serie di onde che si propagano in tutte le direzioni. Nel loro viaggio, queste onde si intersecano e si intrecciano con le onde emesse dagli altri esseri che li circondano, trasmettendo informazioni che possono influenzare i loro stati interiori, rispettivamente il modo in cui vibrano le particelle di vita che le compongono.

Tuttavia, l'incontro tra le onde che generi e le onde emesse da altri esseri viventi produce una serie di trasformazioni negli elementi dell'ambiente. In altre parole, è come se l'eco di ciascuno si riverberasse in tutti gli altri e viceversa, configurandosi in innumerevoli *risposte*, che si concretizzano in vari comportamenti e sincronicità.

All'elevazione o al decadimento del tuo livello di consapevolezza contribuisce la coscienza degli elementi che ispiri, di cui ti nutri e con i quali interagisci. Nel momento in cui comprendi questi aspetti, diventi più responsabile nei tuoi confronti e nei confronti del pianeta e presti molta più attenzione al cibo che mangi e alla maniera in cui interagisci con chi ti circonda.

Ogni forma di vita esiste in quanto, da un lato, riceve determinate forme di energia che successivamente elabora e trasforma in altre nuove forme di energia, e dall'altro trasmette le energie che ne derivano sotto forma di: suoni; immagini; molecole gassose, liquide oppure solide; onde elettromagnetiche; stati comportamentali e altro.

Tutti noi interagiamo, ci fondiamo e co-creiamo, e di conseguenza la Terra non può crearsi esclusivamente da sé stessa con gli elementi che produce, ma viene creata anche da una moltitudine di altri elementi cosmici.

Ciascun elemento, indipendentemente a quale organismo o sistema appartenga, può essere considerato, a sua volta, un organismo, rispettivamente un sistema, avente la capacità di essere prevalentemente creativo o prevalentemente distruttivo secondo la sua coscienza.

Da un punto di vista energetico, sei costantemente creato e distrutto dalle altre forme di vita, così come anche tu contribuisci ai loro processi di creazione e distruzione.

Dato che gli elementi che ora ti creano sono subordinati ad alcuni circuiti infiniti, sei costantemente *vivo* attraverso i corpi *degli altri*, così come *gli altri* sono vivi attraverso *te*.

L'intera Creazione contribuisce alla tua esistenza, proprio come tu contribuisci all'esistenza di tutto ciò che è stato, è e sarà creato.

*I fiori non rimangono per sempre fioriti,
così come nemmeno il vento soffia
all'infinito nella stessa direzione, ma sia
i fiori che il vento sono vivi attraverso
di noi per sempre.*

Epilogo

Impariamo a mettere in relazione in maniera duale alla vita, ma *la vita* è infinitamente al di là di ogni tipo di dualità. Non possiamo essere solo buoni o solo cattivi. Siamo più o meno brillanti a seconda delle scelte e delle azioni che facciamo.

A volte vogliamo avere solo successi e gioie, perciò vogliamo che la bilancia della nostra vita inclini solo verso la parte positiva e rifiutiamo ciò che non ci piace, mentre altre volte incliniamo l'equilibrio verso la parte negativa e non accettiamo che possono capitarci anche delle cose meravigliose.

Ci incolpiamo e ci odiamo per i momenti di degrado in cui ci stressiamo, soffriamo o ci sorprendiamo nell'ipostasi in cui perdiamo il controllo, visto che a volte trattiamo superficialmente le esperienze che ci accadono. Desideriamo l'amore e l'accettazione di coloro che ci circondano, ma omettiamo quanto sia importante che, prima di tutto, offriamo a noi stessi l'amore e l'accettazione che vogliamo che la nostra esistenza ci doni.

Lo sviluppo personale comporta saper superare quante più condizioni possibili, imparare a vivere in armonia con noi stessi e coloro che ci circondano (anche se a volte siamo nel mezzo del caos) e scegliere di godere della beatitudine di ogni momento mentre oscilliamo tra un infinito di esperienze.

Così come è nell'essenza di ogni filo d'erba crescere, così è nella nostra natura evolvere ed esprimere sempre di più il nostro infinito potenziale.

Non siamo insignificanti, bensì una parte importante della Creazione insieme a tutto ciò che Essa contiene.

Siamo tutti scintille divine e manifestiamo il nostro splendore nella misura in cui comprendiamo, sentiamo e accettiamo questa verità.

La nostra vita acquista il significato che le conferiamo, ma perché questo significato sia prevalentemente edificante è necessario crescere nella conoscenza, e la conoscenza, accompagnata dalla sua attuazione, significa forza.

Per essere soddisfatti di noi stessi, è importante accettare i momenti in cui commettiamo errori che, d'altronde, ci aiutano a diventare migliori con ogni esperienza e poter raggiungere livelli più alti *dell'essere*.

*Man mano che diventiamo più
consapevoli di noi stessi, percepiamo
e manifestiamo sempre di più ciò che
riteniamo essere sconosciuto.*